Elisa Medhus

Como educar crianças para pensar por conta própria

Elisa Medhus

Como educar crianças para pensar por conta própria

Tradução:
Dinah de Abreu Azevedo

MERCURYO

Título original: *Raising Children Who Think for Themselves*
Copyright © Elisa Medhus, 2001
Publicado por acordo com Beyonde Words Publishing, Inc.
Todos os direitos reservados.

ISBN 85-7272-191-6

Preparação:
Maysa Monção

Revisão:
Carolina Caires Coelho
Henrique Silveira Neves

Capa:
Mansur Design

Diagramação:
Lilian Melo

Dados Internacionais de Catalogação na Publicação (CIP)
(Câmara Brasileira do Livro, SP, Brasil)

Medhus, Elisa.
    Como educar crianças para pensar por conta própria / Elisa Medhus; tradução Dinah de Abreu Azevedo – São Paulo: Mercuryo, 2003.

    Título original: *Raising Children Who Think for Themselves*
    Bibliografia

    1. Crianças – Criação 2. Crianças – Relações familiares 3. Educação de crianças 4. Pais e filhos 5. Psicologia infantil I. Título.

03-5496   CDD-649.1

Índice para catálogo sistemático:

1. Criação de filhos: Vida familiar   649.1
2. Crianças: Criação: Vida familiar   649.1

2005

Todos os direitos reservados à
Editora Mercuryo Ltda.
Al. dos Guaramomis, 1267, Moema, São Paulo, SP, Brasil
CEP 04076-012, Fone/Fax: (11) 5531-8222 / 5093-3265
E-mail: atendimento@mercuryo.com.br – http://www.mercuryo.com.br
Bons livros, bons homens, inspirando para o crescimento

Sumário

Dedicatória 7
Agradecimentos 9

Parte I - O essencial

Introdução 13

Parte II - O plano geral
Sete estratégias para educar crianças auto-orientadas

1. Criação de um ambiente familiar apropriado 27
2. Como ajudar as crianças a desenvolver um diálogo interno saudável 53
3. Como ajudar as crianças a desenvolver a intuição natural 71
4. O ensino da empatia 75
5. Disciplinar para promover a orientação interna 85
6. Ajudar a recuperarem-se do fracasso 111
7. Ajudar a enfrentar as influências do mundo externo 121

Conclusão 141

Parte III - Estratégias específicas

Desafios da educação dos filhos 145
Sistema de níveis para adolescentes 245

Dedicatória

A verdade mora em todo coração humano e é preciso procurar por ela ali e deixar-se guiar pela verdade tal como a pessoa a entende. Mas ninguém tem o direito de obrigar outros a agirem de acordo com sua própria visão da verdade.
Mahatma Gandhi

Com muito afeto dedico este livro a meus maiores mestres: meu marido, Rune, e meus cinco belos filhos: Kristina, Michelle, Erik, Lukas e Annika. Com eterno otimismo, também dedico este livro aos outros pais e mães, companheiros de viagem, que, ombro a ombro nas trincheiras da vida, estão sempre dispostos a lutar e se sacrificar pelos filhos, a fim de defender as prioridades sagradas que têm em alta conta. Sua dedicação, visão e perseverança dão à humanidade a dádiva da esperança no futuro que a história ainda tem para mostrar.

Agradecimentos

A gratidão é a memória do amor.
Provérbio francês

Com esse trabalho inspirado no amor, aprendi muito com muita gente que tocou e enriqueceu minha vida. Nesse processo maravilhoso, cruzei o caminho de mestres de muitos ramos diferentes e de todos os níveis de compreensão, cada qual com um dom que dá seu próprio perfume especial à criação deste livro.

Com profundo respeito, agradeço a minha mãe e a meu pai, que nunca introduziram as palavras "não pode", "limite" ou "impossível" em meu vocabulário.

Também me sinto profundamente agradecida a minha querida amiga Sarah, que me mostrou a generosidade e o consolo de uma amizade leal.

Também gostaria de agradecer aos muitos sábios que, graças a seus textos sobre criação de filhos e espiritualidade, inspiraram-me e alimentaram-me.

Meu profundo amor e apreço por Teri, minha irmã mais velha, minha eterna confidente, mentora e melhor amiga.

A Denise, minha irmã caçula, cujo crescimento espiritual me dá o que pensar e me inspira um carinhoso respeito, e cuja vida tem me ensinado muito sobre amor e compaixão, minha eterna afeição e admiração.

A todos os meus amigos e vizinhos que me ouviram, me apoiaram e me aconselharam com tanta boa vontade durante toda a minha experiência de mãe.

A Tammy Richards, minha agente literária, que, como uma segunda voz, consegue ser extremamente profissional ao me ajudar a transmitir essa importante mensagem por todo o globo.

A Cindy Blake, Laura Carlsmith e todas as outras pessoas maravilhosas da editora Beyond Words, cujo entusiasmo por essa mensagem pode ser sentido em todas as suas páginas, e cujos conhecimentos prometem me transformar na autora que eu almejo ser.

Parte I

O essencial

Os pais perguntam-se por que a água do rio é amarga, quando eles próprios poluíram a fonte.
John Locke

Introdução

Para remover montanhas, é necessário primeiro retirar as pedrinhas.
Anônimo

O tema deste livro

Quantos de nós não comparam a condição de pais a uma viagem perigosa? Como pais, estamos constantemente ensinando os filhos a escapar de males externos, como drogas, álcool, gangues, violência e suicídio, e também ajudando-os a desviar de armadilhas interiores como o cinismo, transtornos alimentares, irresponsabilidade e falta de controle dos impulsos. Às vezes esses dilemas fazem o futuro de nossos filhos parecer de uma aridez desoladora! Apesar de tudo isso, nossa tarefa é criá-los para terem êxito, competência, autoconfiança e independência.

Como médica, tive a sorte de conhecer essa parte da vida humana à qual os outros não têm um acesso direto. Os pacientes abrem-me uma janela para o mundo contando-me seus pensamentos mais íntimos a respeito de sua vida e da vida de seus familiares. O que vi ao longo dos anos me fascinou. Por um lado, eu tinha pacientes que tinham "tudo", ao menos de acordo com os padrões da sociedade. Mas muitos deles estavam insatisfeitos, frustrados e deprimidos, afirmando que sua vida era vazia. Um homem, em particular, tinha vários carros, um iate enorme, uma propriedade no Texas e uma casa de dois mil metros quadrados num bairro chique. Conseguia vestir a família com as melhores roupas de alta-costura e mandar os filhos estudarem em escolas de elite. Apesar desse brilho exterior, sua vida era um desastre. Dois filhos eram parasitas desempregados que usavam drogas habitualmente, e um terceiro morrera num acidente trágico. O apoio emocional da mulher a essa pobre alma era praticamente zero, porque sua relação com a esposa oscilava entre as brigas e o vazio. Em resumo, ali estava um homem que tinha tido êxito naquilo que a sociedade garantira que lhe daria felicidade. No entanto, a sociedade não cumpriu com a sua parte. Aquele era um homem cuja infelicidade era resultado do fato de ter feito suas opções com base nos valores do mundo exterior, e não no que ele sentia e pensava que era o melhor para si.

Por outro lado, havia um paciente com uma esposa adorável e seis filhos maravilhosos, vivendo com extrema dificuldade num lar instalado num velho *trailer*. Ele trabalhava duro como assistente de mecânico mal pago de uma empresa do ramo de ferramentas para a indústria petrolífera, e seus dias giravam em torno das necessidades da família, não de sua necessidade de alimentar a imagem, nem de fuga. Que lufada de ar fresco era essa família quando entrava em meu consultório e saía dele com sorrisos radiantes e uma gratidão sincera! Entre todos eles havia amor verdadeiro e admiração, muito mais poderosos do que as influências externas, que poderiam tê-los separado. Não se importavam com jeans Guess, nem com botas Sketchers. Freqüentar a escola pública era ótimo, porque ambos os pais achavam que, em última instância, era *deles* a responsabilidade de educar os filhos, envolvendo-se nas escolas e supervisionando de perto os deveres de casa. E, em sua opinião, o laguinho raso que ficava atrás de seu *trailer* arrancava mais gargalhadas daquelas crianças do que um iate motorizado de vinte metros de comprimento no lago Travis. Aquele era um homem cuja felicidade derivava do fato de fazer suas próprias opções, de usar sua própria capacidade de raciocínio para harmonizar seus atos com seus valores e princípios, em vez de adotar cegamente as opções impostas a ele pelo mundo exterior, que não tem a menor idéia ou preocupação com seus valores e princípios individuais.

Embora eu ache essas observações interessantes, foi só muito depois que percebi sua ligação com tudo o que está errado no mundo de hoje. Toda manhã eu lia histórias de horror nos jornais e sacudia a cabeça incrédula; eram histórias de filhos matando pais ou irmãos, membros de gangues executando chacinas e mães acorrentando os filhos a estacas no porão e deixando-os chafurdar na própria sujeira. Esses atos medonhos, indignos, faziam com que eu me perguntasse como era possível despersonalizar tão facilmente a vida humana... a mesma vida que eu, como médica, tantas vezes lutava arduamente para salvar.

E então, certo dia, li uma história que me marcou profundamente. Uma jovem mãe matara o filho de dois anos por uma bobagem qualquer, cortou-o em pedacinhos, fritou-os numa panela e serviu-os aos cães. Naquela hora eu decidi que tinha de fazer alguma coisa para acabar com essa loucura no mundo que tinha me dado tanto e no mundo em que meus filhos teriam de levar sua vida.

Resolvi investigar como os outros interpretavam a situação do mundo hoje. Entrevistei centenas de professores, pais e crianças do Texas e da Califórnia, e até da Noruega. A maioria das crianças foi entrevistada durante seu horário de almoço ou recreio, com a permissão dos pais e da diretoria da escola. Outras foram entrevistadas por telefone. Você vai ver muitas referências a essas entrevistas ao longo destas páginas.

Essa pesquisa social que encarei como missão me inspirou a procurar a causa mais provável da situação atual da sociedade. No início de minha pesquisa, descobri que, em geral, a humanidade enfrenta os problemas sociais da maneira mais superficial possível, na pontinha dos galhos, em vez de mergulhar até suas raízes, de modo que, no melhor dos casos, a doença é retardada, mas não é curada. Por exemplo: fornecemos muito dinheiro e outros recursos para atividades antigangue, para a reforma previdenciária e para programas de consciência em relação ao álcool e outras drogas. Declaramos guerra aos traficantes e criminosos que vivem em função das drogas. Fazemos tudo isso sem sequer nos fazer uma pergunta importante: *Afinal de contas, por que temos esses problemas?*

Minha conclusão: as ameaças e dificuldades enfrentadas pelas crianças na sociedade contemporânea derivam de uma única fonte: *estamos criando nossos filhos para se orientarem pelo externo, e não pelo interno*. Em outras palavras, estamos ensinando nossos filhos a fazer opções na vida para obter a aprovação e a aceitação dos outros. Com isso, nossos filhos renunciam ao único dom que eleva os seres humanos acima de todas as outras criaturas vivas – a capacidade de raciocinar.

Em contrapartida, quando as crianças dirigem a si mesmas, usam sua capacidade de raciocínio como uma espada para abrir caminho pela selva das influências externas: usam a razão para examinar todas as possíveis conseqüências das opções que estão considerando, confiando nisso como um instrumento de controle interno. Crianças orientadas por si mesmas tomam uma decisão depois de pensar bem, porque acreditam que sua opção é a certa para elas, não porque acham que os outros vão respeitá-las mais. É esse raciocínio, esse diálogo interno, que é o fundamento da criança orientada por si mesma. Devemos fazer o possível para instilar esse tipo de orientação nas crianças – e, quanto mais cedo, melhor.

As cinco qualidades essenciais da criança auto-orientada

Depois que as crianças aprendem a estabelecer um diálogo interno e conseguem se orientar por si mesmas, desenvolvem duas características: um acurado senso de identidade e um grande desejo de ser uma parte vital e significativa do grupo. A partir dessas duas características, surgem cinco qualidades que as definem como seres auto-orientados.

1. Auto-estima e autoconfiança elevadas

As crianças auto-orientadas sentem-se tranqüilas em relação a si mesmas porque aprenderam a se avaliar racionalmente de uma forma que as ajuda a crescer, em vez de derrubá-las. A razão é de fato um juiz imparcial e compassivo. Permite-lhes levantar-se quando são derrotadas, ver o fracasso como uma oportunidade para aprender e tolerar as próprias fraquezas sem deixar que estas destruam sua auto-estima. Como essas crianças não reagem impulsivamente às influências externas, não levam as coisas para o lado pessoal, nem são defensivas. Para atingir essa perspectiva, essas crianças são invariavelmente educadas num ambiente rico em aprovação e amor incondicional.

2. Competência

Crianças competentes têm a capacidade de compreender e manipular seu ambiente. Como as crianças auto-orientadas não vêem o fracasso como algo que acaba com sua auto-estima, sentem-se à vontade para enfrentar novos desafios e explorar seus próprios limites intelectuais e físicos. São crianças que assumem riscos. Embora tropecem de vez em quando, essas crianças acumulam uma lista bem grande de realizações e qualificações com o passar dos anos. Tornam-se agudamente conscientes de seu potencial. Todo esse sucesso faz muito no sentido de reforçar sua autoconfiança e, em conseqüência, a auto-estima. As crianças auto-orientadas são educadas num ambiente onde são encorajadas a tentar novos empreendimentos e explorar suas capacidades sem medo do ridículo, da crítica e da vergonha, se fracassarem. Não estão a salvo de seus erros.

3. Independência

Depois que as crianças auto-orientadas adquirem competência, o que se segue é um sentimento de independência – a capacidade de confiar nas decisões tomadas internamente. Seu próprio raciocínio as ajuda a se tornarem livres-pensadores e solucionadores de problemas. Também as ajuda a resistir às influências externas ao fazer opções. É a incapacidade de resistir às pressões externas o atributo que define um indivíduo inepto e dependente.

4. Elevado caráter moral

Como as crianças auto-orientadas são livres para fazer opções pelas razões certas – razões que não têm nada a ver com as expectativas ou aprovação dos outros –, suas opções têm uma tendência maior de serem aquelas de seu interesse, em vez de serem do interesse dos outros. E, moralmente falando, fazer a coisa certa é sempre o maior interesse do indivíduo auto-orientado. Por exemplo: se Timmy acha um envelope com o dinheiro do lanche de alguém no *playground*, se for um menino auto-orientado ele vai usar o diálogo interno para concluir que ficar com o dinheiro vai fazê-lo se sentir mal consigo mesmo por causar problemas a seu legítimo dono. Em outro exemplo, suponha que Kristina vê um grupo de meninas "populares" escolher como vítima de suas zombarias a maneira questionável de se vestir de sua melhor amiga. Ela vai defender a amiga e arriscar-se a ser ridicularizada ou diminuída pela "multidão"? Ou vai sair furtivamente, esperando que ninguém perceba? Se for auto-orientada, ela vai fazer a opção que está de acordo com seus princípios morais: vai optar por ir em socorro da amiga. Sua razão lhe diz que não fazer isso vai levá-la a se sentir uma traidora. Percebe também que trair a amiga pode destruir sua amizade – uma conseqüência que ela provavelmente não vai achar aceitável. Seja como for, como tem um senso de identidade forte e auto-estima elevada, não precisa realmente da aprovação das meninas populares para se sentir bem consigo mesma. Por isso a decisão é fácil. Fazer opções racionais que estejam em harmonia com os princípios e valores morais explica o elevado nível de autocontrole, autodisciplina e integridade das crianças auto-orientadas.

5. Ser um elemento valioso dentro do grupo

Como diz a teoria do rebanho a respeito do comportamento humano, todos somos impelidos por um desejo intenso de fazer parte de um grupo e de ocupar um lugar importante dentro dele, e comportamo-nos e pensamos de formas a satisfazer esse desejo. Algumas crianças optam pela participação num grupo fazendo e acreditando em tudo o que ele dita, seja o que for. Optam por mendigar a aceitação do grupo escolhendo a conformidade em detrimento da contribuição. Essas crianças são orientadas externamente – motivadas por sua necessidade de obter a aprovação. Optam por sacrificar a própria identidade e substituí-la por outra moldada pelas influências externas, na esperança de virem a ser mais bem aceitas pelos outros. A conseqüência de criar filhos dessa forma, e talvez a maior razão para isso, é que são muito mais fáceis de lidar quando nós somos aqueles a cujos desejos eles estão se conformando. É muito mais fácil moldá-los naquilo que queremos que sejam. É claro que, infelizmente, essa postura também se aplica a outras influências que eles certamente vão sofrer além das nossas – parceiros e a mídia, por exemplo –, e é aí que a caixa de Pandora dos pesadelos da criação dos filhos é aberta.

Outras crianças optam por participar de um grupo descobrindo seu papel ou contribuição especial – um papel ou contribuição que seja significativo para a criança e assumido espontaneamente por ela, e não pelo grupo. Optam por conquistar – em vez de mendigar – aceitação. Essas são crianças auto-orientadas. Como não precisam do grupo para pensar por elas, e como não têm tendência a ver seus ambientes como ameaçadores, conseguem criar papéis significativos dentro desse grupo. Não têm de obedecer cegamente, conformar-se ou retirar-se. E, por causa de seu elevado nível de competência, podem usar qualquer um ou todos os seus talentos para encontrar uma forma de contribuir e ser um recurso valioso para seu grupo. Ao ajudar, sentem-se parte de algo maior, o que, por sua vez, aumenta a autoconfiança, fortalece o senso de identidade e a independência. Você percebe como esse processo é retroalimentador?

Com um forte senso de propósito e de singularidade, as crianças auto-orientadas podem enriquecer qualquer grupo. Não têm de contar com a lealdade a apenas um grupo para sentir que fazem parte dele. Como não precisam agradar o grupo para melhorar a auto-imagem, podem escolher objetivamente seus grupos, bem como os pontos fortes e capacidades que elas acham que mais podem contribuir para o bem do mesmo. Por exemplo: Sarah pode usar sua capacidade de organização para formar uma associação de jovens com a finalidade de dar aulas particulares a pessoas com problemas; mas pode usar sua famosa capacidade de resolver conflitos para manter a paz entre seus pares e irmãos.

O outro lado da moeda é que, em geral, é mais difícil lidar com as crianças auto-orientadas porque, afinal de contas, elas pensam com a própria cabeça e têm suas próprias formas de enfrentar a vida e, às vezes, elas se chocam com as nossas. Mas, na realidade, nossa tarefa é orientar, não controlar. E se você pensar um pouco mais no assunto, que caminho é melhor para os desígnios da evolução, teleologicamente falando? Será que os jogadores da seleção de vôlei seriam campeões se todos fossem carneirinhos? Não, claro que não. Um grupo *deve* ter líderes, mediadores, simpatizantes, caçadores, coletores, terapeutas, inventores, professores, e assim por diante.

Como pais, podemos capitalizar esse instinto de grupo *conduzindo* as crianças para a estrada da auto-orientação. Afinal de contas, nossos filhos querem instintivamente nos agradar, nós, os primeiros lobos. Querem sentir que fazem parte do grupo familiar e que têm algo de especial a oferecer. Nossa tarefa, com a ajuda deste livro, é mostrar-lhes como fazer isso através de *sua própria* identidade interna, e não por meio de influências externas – a *conquistar*, em vez de *mendigar*, a aceitação do grupo, contribuindo, em vez de se conformar.

Você pode muito bem perguntar: "Qual é a vantagem de cultivar essas qualidades e de criar filhos auto-orientados?". A meu ver, se as crianças tiverem essas cinco qualidades essenciais, não têm necessidade alguma de olhar para fora em busca de fontes externas de aprovação. Quanto menos dependerem das influências externas, tanto mais essas cinco qualidades se consolidam e tanto menos elas precisam do mundo externo para moldar ou reforçar sua identidade. É uma espiral ascendente e infinita rumo à auto-realização. No fim, elas têm o que precisam para viver felizes no mundo. Francamente, o que mais se pode querer?

Compreensão interna x orientação externa

Agora vamos falar um pouco mais sobre o que significa ter uma orientação interna ou externa. Para que não haja dúvidas, vamos voltar e examinar como o conceito de "eu" se desenvolve nas crianças a partir do nascimento. Durante todos os estágios seguintes, você vai ver como o processo de raciocínio da criança amadurece até chegar a um ponto crítico no qual ela escolhe, em graus variados, entregar o raciocínio a fatores externos ou empregá-lo para escolher as alternativas que são realmente condizentes com seu senso de certo e errado. A primeira opção é o caminho daqueles que são orientados externamente; a segunda, o caminho dos auto-orientados.

Estágio de recém-nascido

Ao nascerem, as crianças não têm um conceito real de "eu". Como poderiam, se chegam a esse mundo completamente ignorantes de seus limites e possibilidades? Afinal de contas, o conceito de "eu" não se desenvolve do nada. As crianças precisam ter idéias e experiências que possam comparar e contrastar com as dos outros à sua volta para chegar ao conceito de *quem são*. Esse é um passo essencial para elas no sentido de serem capazes de avaliar e definir a si mesmas. Nesse estágio, nossa prioridade número um como pais (além de satisfazer suas necessidades físicas, claro) é proporcionar-lhes um sentimento forte de ligação, de inserção. Se quisermos que aceitem nossa orientação naquela estrada acidentada que levará à descoberta de si mais tarde, nossos filhos precisam sentir que são incondicionalmente amados e que sempre estaremos ali à sua disposição. O amor incondicional é a chave para ajudar os filhos a sentirem que, seja qual for o "eu" que eles se tornem, será aceito entusiasticamente por nós.

Estágio de bebê/primeiros passos

Nesse estágio, as crianças começam a interagir com o resto do mundo. Logo percebem que, a toda ação, corresponde uma reação. A partir dessa lei fundamental da natureza, as crianças começam a entender que há conseqüências para o que elas fazem. Quando Johnny derrama sua sopa de feijão preto no chão, ele fica sujo e a mamãe sai correndo gritando palavras incompreensíveis enquanto limpa o chão onde caiu sua bela refeição. Quando Rachel usa a xícara pela primeira vez, percebe a maior parte da família aplaudindo e dando vivas, pulando para lá e para cá agindo como um bando de loucos frenéticos. Como você pode ver a partir desses exemplos, as conquistas e fracassos físicos de nossos filhos moldam seu conceito de "eu" nesse estágio – tudo por causa das reações externas que eles provocam.

Pré-escolar e primeiros anos do ensino fundamental

Nesse estágio, as crianças são submetidas, pela primeira vez, aos juízos de valor e avaliações dos outros. Além de serem expostas a mais gente (como professores, colegas, amigos e vizinhos), começam a perceber que nem todos vão aprová-las e amá-las incondicionalmente. Além disso, as crianças dessa faixa etária agora têm idade suficiente para acumular um certo número de capacidades que depois serão examinadas meticulosamente e talvez criticadas pelos outros – a rapidez com que amarram o cordão dos sapatos, se lêem bem, se conseguem chutar uma bola a uma distância superior a um metro e se vão confessar que assistem às fitas dos Flintstones. Esse exame rigoroso, sob a forma de aprovação condicional, crítica ou elogio, desempenha um papel importante na criação de um conceito mais abstrato do "eu", orientado por fatores externos.

De meados do ensino fundamental em diante

Quando chegam à terceira série, as crianças já estão dependendo muito de comparações para julgarem a si mesmas e aos outros. Estão penosamente conscientes de que seu caráter moral, capacidade de se relacionar socialmente, personalidade, competência escolar, aparência física, capacidade atlética, etc., estão sendo avaliados pelas pessoas que as rodeiam. *Essa costuma ser a encruzilhada crítica de sua vida, em que a auto-estima é consolidada ou destruída* – é a fase em que as crianças optam entre a auto-orientação e a orientação externa como o ponto de referência cognitivo que vão usar para viver. Vamos falar dos fatores que influenciam essa opção mais adiante.

As crianças auto-orientadas atuam a partir de um ponto de referência interno, por meio do qual filtram e avaliam todas as influências externas. Essa orientação interna permite a elas avaliarem-se objetivamente – sem qualquer dependência emocional do resultado final. Fazem opções porque, dadas as possíveis conseqüências que pesaram internamente, acham que são as melhores para elas. *Respondem* à vida, em vez de *reagirem* a ela. Essas crianças são inspiradas por si mesmas – inspiradas pelos produtos de seu próprio raciocínio.

Outras crianças atuam a partir de um ponto de referência externo e não conseguem filtrar as influências exteriores por meio do raciocínio. Sua necessidade de aprovação e aceitação anuvia e molda suas opções. Por fim, esse "raciocínio por procuração" ajuda-as a criar uma máscara social – a fachada que se transforma na identidade feita por encomenda e baseada no que supõem que os outros querem que elas sejam. É triste, mas quanto mais dependem de sua falsa identidade, tanto menos confiam na verdadeira. E assim o processo reforça a si mesmo com o passar do tempo.

Outra desvantagem de não usar o diálogo interno para fazer suas opções ou julgamentos é que as crianças orientadas por fatores externos nunca aprendem a desenvolver a capacidade de dialogar consigo mesmas, nem de se autodominar. Sem essas capacidades, as crianças não se autoregulam e, por isso, mostram pouco controle dos impulsos. Essas crianças *reagem* à vida. São *orientadas por fatores externos*. Nas páginas que se seguem, vamos examinar os motivos pelos quais as crianças tomam um certo caminho, em vez de outro. Mas o mais importante é que o livro vai fornecer soluções ativas para ajudá-las a mudar de rumo, tomando o caminho que leva à auto-orientação.

À medida que for lendo este livro, você vai se surpreender sufocando um grito de horror ou torcendo as mãos de desespero porque, como eu, você passou os últimos dez anos de sua vida criando os filhos para serem orientados por fatores externos, e achava que estava fazendo um ótimo trabalho! Mas, antes de entrar em pânico, deixe-me aplaudir você por ser uma daquelas raras e louváveis mães ou pais que se importam o suficiente com os filhos para tentar incansavelmente ser uma mãe ou um pai melhor. Em segundo lugar, posso lhe garantir que, por mais longo que seja o tempo que você andou fazendo a coisa errada, depois de se familiarizar com as sugestões deste livro, não vai demorar muito para seus filhos se tornarem auto-orientados. Na verdade, não se admire se você deslanchar nesse caminho também! Usei *um certo* grau de orientação externa durante catorze anos antes de descobrir e começar a praticar as técnicas de orientação interna e logo vi mudanças dramáticas em meus filhos (e em mim mesma!). Você pode ficar cada vez mais consciente do comportamento orientado para o exterior *versus* aquele orientado para o interior de seus filhos, você e outras pessoas. É essa consciência que torna essa nova forma de criar os filhos auto-reforçadora, de modo que fica mais fácil implementá-la com o passar do tempo.

Imagine, por um momento, um mundo de crianças auto-orientadas! Teríamos pessoas com capacidade de avaliar seus pontos fortes particulares, traduzi-los em papéis significativos e contribuir para a vida do grupo desempenhando esses papéis, pessoas que vivem de acordo com seus próprios princípios, e não de acordo com os princípios dos outros. Compare isso com um mundo orientado para o exterior, onde as pessoas se viram do avesso para conseguir as melhores posições no grupo, pisando nos outros e nos próprios princípios morais ao longo do caminho. Dê mais um passo e imagine que está a seu alcance, como mãe ou pai, decidir qual desses caminhos a humanidade vai trilhar! Com alguns empurrões de nossas técnicas de criação de filhos, podemos criar um mundo auto-orientado. Não estou dizendo que esse processo vai ser fácil como tomar um cafezinho; não, não vai ser, porque, afinal de contas, a humanidade suportou séculos de comportamento orientado por fatores externos, defendido por indivíduos, líderes e a sociedade como um todo. E como essa doutrinação inclui a forma como fomos criados, vamos ter de segurar um tigre irritado e poderoso pelo rabo. Mas é possível domesticá-lo. Agora vamos conhecer as ferramentas que vão nos ajudar nesse desafio que vale a pena enfrentar: as sete estratégias-chave para educar crianças auto-orientadas.

Parte II

O plano geral

*Sete estratégias para educar
crianças auto-orientadas*

I
Criação de um ambiente familiar apropriado

O sol não precisa de ajuda para brilhar.
Anônimo

Das sete estratégias, criar um ambiente familiar apropriado talvez seja a mais fundamental. Afinal de contas, se o ambiente familiar não leva à educação de crianças auto-orientadas, podemos aplicar as outras seis estratégias até a hora da morte que elas não vão realizar nenhum milagre! É mais fácil construir a ponte Rio-Niterói em cima de um canteiro de lírios. Portanto, vamos começar com o pé direito lançando primeiro um alicerce sólido. Mas antes temos de ver como é que todos nós nos inclinamos a moldar o ambiente familiar no sentido de favorecer a orientação externa em detrimento da orientação interna. Depois vamos ver formas para corrigir esses pequenos hábitos desagradáveis.

Três comportamentos dos pais incentivam a orientação externa em nossos filhos: promover o comportamento orientado pelos fatores externos em nossa própria vida, impor condições ao nosso amor pelos filhos e não acreditar neles.

Promover o comportamento orientado pelos fatores externos em nossa própria vida

A nossa forma de reagir às influências externas é importante porque criamos muitas das matrizes para o senso de identidade de nossos filhos pelo comportamento que adotamos. Como agimos, sentimos e pensamos é crucial, porque nossos filhos nos vêem como um reflexo do mundo externo – como um vislumbre do que eles vão ser quando crescer. Que coisa mais assustadora! E, como a maioria de nós é orientada por fatores externos numa certa medida, também queremos ser aceitos pelos outros. Mas, se não tivermos cuidado, o comportamento que adotamos vai refletir uma dependência exagerada das influências externas.

Promover a orientação externa para ter "a imagem certa"

Nossos filhos são extremamente aptos a perceber os sinais mais sutis de nosso comportamento orientado pelos fatores externos. Por exemplo: quando lutamos para estar em primeiro lugar – para ser o número um –, nossos filhos notam. Trabalhamos muito o dia inteiro para pagar as contas de cartão de crédito e poder continuar tendo as coisas que nos fazem parecer bem-sucedidos. Procuramos dizer a coisa certa, usar as roupas certas, ter a "coisa" certa, ter o emprego certo, ter o *status* social certo, ter intimidade com as pessoas certas, tudo na tentativa de vencer o teste de popularidade que a sociedade nos impõe e conquistar sua aprovação. Nossos filhos vêem isso em nossos atos, em nossas palavras, em nossos sentimentos. Além disso, como nossos filhos são muitas vezes extensões de nossos egos, muitas vezes fazemos com que dancem conforme a mesma música.

Assim sendo, como é que vamos acabar com essas reações pouco saudáveis ao mundo externo e nos livrarmos dessa roda-viva? Poderíamos tentar examinar os motivos por trás de tudo o que fazemos e dizemos com a maior freqüência possível. Pergunte-se: estamos fazendo essa opção porque achamos que é a coisa certa para nós, ou é apenas um meio de conquistar o amor e a aceitação do mundo externo? Poderíamos até tentar representar esse diálogo interno em voz alta na frente das crianças. Podemos alimentar sua capacidade de ter um diálogo interior fazendo toda a reflexão, ponderação e consideração durante o nosso processo de tomada de decisão em voz alta para elas verem e absorverem.

Promover a orientação externa pela imposição de condições à aprovação que recebemos

As condições que permitimos que os outros nos imponham ao amor e aprovação que *recebemos* talvez sejam a maior força propulsora da orientação externa em nossa vida. Por exemplo: recebemos um amor condicional quando nos castigamos por causa de uma confusão que armamos no trabalho. Sentimos que não merecemos amor e aprovação porque não estamos à altura de uma série de condições criadas por nós mesmos, por outras pessoas ou por um grupo no qual buscamos a sensação de fazer parte de algo maior. Quando os filhos vêem nossa autodepreciação, recebem a mensagem de que não achamos que merecemos amor porque somos um dos párias ou perdedores. O que mais eles podem fazer além de supor que aquelas influências externas são muito mais poderosas do que aquilo que está dentro deles?

Para parar de enviar essa mensagem subliminar, podemos tentar evitar frases de autodepreciação. Em vez de dizer algo como *"Sei que eu devia ter mandado um presente de aniversário mais caro para o chefe. Que idiota que eu sou! Não é de admirar que a Cindy tenha tido a promoção em meu lugar!"*, poderíamos dizer algo como *"Gente, eu estava realmente esperando aquela promoção. Mas pelo menos sei que fiz o máximo que podia e isso faz tudo valer a pena. Aposto que alguma coisa boa vai acontecer logo. Vou continuar dando o melhor de mim"*. Dessa forma, nossos filhos vão notar que estamos nos concentrando no que fazemos bem e nos benefícios que esse esforço traz, não no que os outros pensam. Em outras palavras, vão aprender a refletir sobre tudo o que *está em seu poder* fazer, em vez de sofrer com a influência que os fatores externos *fora de seu controle* têm sobre eles.

Promover a orientação externa com expectativas de recompensa e de ter direito a ela

Criar nossa própria expectativa de retribuição também ensina nossos filhos a se concentrar em fatores externos quando optam pelo que devem sentir em relação a outras pessoas e como devem se comportar com elas. Por exemplo: podemos preparar refeições para uma vizinha idosa cujo marido está no hospital e depois chegar em casa e nos queixar de que "aquela velha nem sequer me agradeceu!". Ao ouvir uma observação como essa, nossos filhos aprendem que um ato de bondade *tem* de ter uma recompensa. Além disso, começam a achar que, se o seu amor e demonstrações de bondade não forem recompensados, então é porque não são amados nem valorizados.

Quando temos expectativas de recompensa, desenvolvemos naturalmente uma atitude de que temos direito a ela. Uma das maiores ameaças à estabilidade econômica de nosso país é que seus cidadãos sentem-se no direito de ter privilégios que, na verdade, não se justificam. Muita gente se queixa de não ter direito a ter estacionamento grátis, estabilidade no emprego, seguro-saúde barato, etc. Embora algumas dessas demandas sejam justas e devam ser defendidas, muitas não são. Quando nossos filhos ouvem essas queixas e exigências muitas e muitas vezes, acabam absorvendo as mesmas expectativas em relação a seus direitos, o que, mais uma vez, ensina nossos filhos a reagir a fatores do mundo externo no sentido de criar a concepção de como deve ser a sua vida. Essa atitude pode voltar para assombrá-lo mais tarde. Acredite em mim! Basta lembrar-se disso quando seus filhos lhe disserem que é *sua* obrigação pagar a gasolina e o seguro do carro *deles*!

Esse senso exagerado de direito a determinadas coisas desempenha um triste papel na formação de uma sociedade corrupta e gananciosa. Precisamos deixar claro para eles que as únicas coisas às quais têm direito é sua vida, a oportunidade de serem produtivos e tudo o que ambas lhes derem. Por exemplo: podemos perguntar a Robert por que ele acha que tem direito a receber um pagamento por tomar conta dos irmãos mais novos enquanto vamos a uma reunião da escola. Quando o ajudamos a raciocinar e argumentar, ele pode perceber logo que tomou uma obrigação por uma oportunidade de lucrar.

Bem, e o que isso tem a ver com orientação externa e interna? Muita coisa! Essas expectativas transmitem às crianças a mensagem de que precisam de pessoas e coisas do mundo externo para aumentar sua auto-estima. Para evitar inculcar-lhes essas atitudes, devemos fazer tudo o que pudermos para dar amor e mostrar bondade para os outros sem esperar nada em troca. Dar aquele amor ou realizar aquele ato de bondade anonimamente, se possível, faz muito no sentido de alcançar esse objetivo. Podemos mostrar a nossos filhos que não esperamos nada de mão beijada e que conquistamos tudo o que temos. Dessa forma, nossos filhos vão crescer sabendo que o trabalho duro e as boas ações são recompensa suficiente, e começam a ver que tudo quanto precisam para ter auto-estima está dentro deles.

Promover a orientação externa por não saber lidar com os sentimentos

De vez em quando, todos nós lidamos mal com nossos sentimentos na frente dos filhos, e de diversas formas. Em primeiro lugar, às vezes disfarçamos a tristeza, a decepção, a culpa, o constrangimento e a raiva. Quando a mamãe se recusa a mostrar seu pesar pela morte do tio Jack, seu filho interpreta isso como "os sentimentos são muito ruins e devem ser escondidos". Uma segunda forma de lidar mal com os sentimentos na frente dos filhos é dirigi-los para o lugar errado. Quando o papai chega em casa com um mau humor dos diabos por causa de acontecimentos estressantes no trabalho e depois descarrega a raiva no filho, essa criança recebe a mensagem de que a responsabilidade é sua, talvez até seja culpa sua. Finalmente, lidamos mal com nossos sentimentos quando nos apegamos a emoções negativas como a raiva ou o pesar por muito tempo sem trabalhar para dar-lhes um canal de expressão. Alimentar sentimentos negativos só ensina nossos filhos que as emoções realmente pesadas não têm solução. São apenas algo com que precisam se conformar.

Lidar mal com os sentimentos na frente dos filhos incentiva a orientação externa de duas formas. Em primeiro lugar, ajuda-os a criar uma fachada mais sólida, atrás da qual podem esconder o seu verdadeiro "eu". Em segundo lugar, transmite aos filhos a mensagem de que as influências externas exercem um poder tão grande sobre nossos sentimentos que os canais vitais de comunicação com o mundo circundante devem ser emudecidos, alterados, escamoteados ou destruídos. Naturalmente, nossos filhos vão supor que qualquer coisa que tenha esse tipo de poder é uma força à qual devem se submeter. Tudo isso atrai sua atenção para fora, deixando as formas de comunicação internas atrofiadas e ignoradas.

Portanto, devemos tentar expressar nossas emoções de uma forma saudável, sem reprimi-las para evitar as críticas e o ridículo, e sem se apegar a elas para sempre, nem usá-las contra os outros como instrumento de destruição. Pense nas emoções como num cesto cheio de peixes frescos. É mais que certo cozinhá-los e comê-los, porque é para isso que eles foram pescados, afinal (tenho certeza de que você vai achar que alguns peixes discordam dessa afirmação). Mas é melhor não deixar as sobras por ali muito tempo, porque vão começar a cheirar mal logo, logo! Usufrua deles e depois esqueça-os. Se eles começarem mesmo a cheirar mal, não devemos jogá-los na cara do pobre tio Harry, nem tentar jogar a culpa nele, dizendo que foi ele que os pescou! Em vez disso, devemos assumir a responsabilidade pelo que fazemos com nossos sentimentos (e com os peixes).

Impor condições ao nosso amor pelos filhos

O segundo passo em falso na criação dos filhos é nos comportar de modo a impor condições para eles. Nada tem mais poder para convencê-los a olhar para fora, em vez de para dentro, em busca de respostas.

O amor condicional é aquele amor que só damos a nossos filhos quando eles estão se comportando de acordo com nossos desejos. Muitas vezes lhes mostramos nosso amor só durante seus momentos mais adoráveis, e não naqueles momentos em que eles mais precisam. Vamos examinar algumas das formas pelas quais impomos condições a nosso amor, bem como formas para acabar com essa maneira perniciosa de pensar.

Impor condições a nossas declarações de amor

Às vezes acrescentamos observações finais a nossas declarações de amor, como "Adoro você *quando* você me ajuda assim", ou "Amo você, *mas* você tem sido meio desagradável ultimamente". Essas observações sugerem que nosso amor tem certas condições, transmitindo aos filhos a mensagem de que eles precisam ser como nós queremos que sejam para conseguir nosso amor e aprovação. Depois que essa mensagem é recebida, é só uma questão de tempo antes de eles também desenvolverem esse tipo de relação com o resto do mundo. Portanto, para lhes provar que nosso amor é incondicional, devemos fazer o possível para nunca fazer observações que sugerem que nós os amaríamos mais se...

Só demonstrar amor por eles quando eles estão dando o máximo de si

Parece que muitas vezes demonstramos afeto por nossos filhos e os elogiamos quando eles estão perto da perfeição. Por exemplo: reservamos tapinhas nas costas para aqueles momentos em que eles ganham a partida de tênis ou tiram A em todas as matérias da escola. Só penduramos seu melhor dever de casa na porta da geladeira jogando tudo o que é imperfeito na lata do lixo. Em resumo, em geral só fazemos grandes elogios quando nossos filhos chegam àquilo que *nós* pensamos que é o melhor que têm a dar, mandando-lhes a mensagem de que só merecem amor quando satisfazem *nossas* expectativas de perfeição!

Para mostrar que nosso amor é realmente incondicional, precisamos mostrar afeto e apreço independentemente das notas que eles tiram, das opiniões que têm ou das roupas que vestem. Podemos muito bem pendurar orgulhosamente aquela prova de ortografia com um B+ na porta da geladeira se Peter estudou particularmente para ela. Podemos dar um grande abraço em Alice porque ela "agüentou a barra" de suas colegas humilhadas durante um jogo de vôlei que todas elas perderam. Podemos dizer a Tommy o quanto o amamos quando ele está mal-humorado depois de um dia longo e difícil na escola.

Outra forma de demonstrar a natureza incondicional do nosso amor é exprimindo-o mais com atos e menos com palavras. Essa demonstração de amor é o máximo e traz muitas recompensas. Dizer "amo você" de formas que exijam esforço ou sejam inconvenientes é como gritar essas duas palavrinhas num megafone. Podemos reservar um tempo para colorir desenhos num livro com eles. Podemos pôr cartas de amor em suas lancheiras. Até um abraço silencioso, sem nenhum motivo particular, pode transmitir a nossos filhos uma poderosa mensagem sobre o quanto os amamos.

É fácil cair na armadilha de concentrar toda a nossa atenção no que nossos filhos estão se tornando, em vez de apreciar quem eles já são. É bom fazermos com que eles saibam que valorizamos o trabalho duro que será necessário para eles satisfazerem sua ambição de se tornarem um neurocirurgião, de tirar uma boa nota na próxima prova de física ou de concorrer para representante de classe, mas não é bom deixarmos de lhes dizer o quanto são maravilhosos nesse exato momento. Bethany, de treze anos, diz: "Sei que minha mãe gosta de mim exatamente como sou, não só pelo que ela quer que eu seja. Isso me dá mais liberdade para ser eu mesma".

Às vezes gosto de me sentar com meus filhos, um por um, e dizer-lhes o quanto são maravilhosos e a sorte que eu tenho de ser a mãe deles. Gosto de percorrer a lista toda dos motivos de serem tão especiais, que talentos extraordinários eles têm, que desafios enfrentaram e venceram no passado e assim por diante. Mantenha só um pensamento no fundo da mente – *para amá-los incondicionalmente, precisamos amar nossos filhos pelo que são, não pelo que esperamos que sejam.*

Não acreditar nos filhos

Outra mensagem comum que impregna muitos ambientes familiares é que temos pouca ou nenhuma fé que os filhos vão fazer as opções certas. Essa falta de fé neles sempre incentiva nossos filhos a ter mais confiança nos sinais externos do que nos internos. Vamos ver o que temos a dizer contra isso e como enfrentar a situação.

Repressão

A partir do nascimento, nossos filhos recebem mensagens duplas que dizem que eles não são lá essas coisas. São levados a acreditar que são impotentes e inferiores e que os pais e os outros que ocupam posições de autoridade estão ali para garantir aquilo que lhes falta. Por exemplo: quando nossos filhos choram, nós os pegamos no colo, embalamos e dizemos: "Que é isso, nenê? Não chore!". Embora tenhamos boas intenções, essa mensagem censura a necessidade deles de expressar seus sentimentos com o único meio de expressão de que dispõem, o choro, a menos que você pense que as fraldas sujas sejam uma alternativa.

A repressão da experiência de nossos filhos só faz aumentar daí para a frente. Até a idade de seis ou sete, nossos filhos mantêm uma autoconfiança surpreendente, a despeito de fracassos e desaprovações anteriores. Não há nada fora de seu alcance e nada que eles achem que não merecem. Afinal de contas, é preciso muito esforço para apagar um incêndio numa floresta!

Às vezes vemos essas qualidades em nosso filho como egoísmo. Essa possibilidade assusta algumas pessoas, porque a sociedade considera o egoísmo um vício. Preocupamo-nos muitas vezes com o fato de eles só pensarem em si mesmos e expressarem demais os sentimentos, pois isso pode fazer com que fique difícil nossos filhos cooperarem e coexistirem com a parte do mundo que não é *eles*. Temos medo de que essa autodeterminação venha a tornar nossos filhos crianças difíceis de lidar. Sei que sinto um medo daqueles toda vez que um de meus filhos, ou todos eles, ficam muito irritados em público. Deus não permita que os outros pensem que eu os "mimei" ou que sou péssima em termos de disciplina, porque aí o mundo inteiro vai saber que mãe horrível eu sou. E o que fazer para acalmar nossos temores? Infelizmente, em geral ensinamos nossos filhos que essa forma de auto-expressão é errada – chega mesmo a ser egoísta ou tola. Por exemplo: quando as crianças estendem a mão na maior inocência para tocar a luz brilhante de uma vela, damos rapidamente um tapa na mão, em vez de deixá-las ver por si mesmas que a chama é quente e pode queimá-las. É importante para as crianças aprenderem a aplicar sua capacidade de raciocínio às suas experiências, bem como às dos outros.

Adoro a história da tribo africana que permite a suas crianças esse tipo de exploração livre. Lavam a roupa calmamente às margens do rio, deixando até as menorezinhas brincarem na água sem medo. Nem piscam o olho quando seus filhos brincam com machadinhas e outras coisas perigosas que nós nem sequer permitimos que nossos filhos vejam, quanto mais brandir entusiasticamente! Mas o interessante é que os índices de mortalidade e incidência de doenças entre essas crianças são baixos. Praticamente não se ouve falar de casos de afogamento ou de quase-afogamento. Talvez tenha algo a ver com as nossas expectativas. Segundo essas expectativas, o mundo é cheio de perigo, e muitas vezes é mesmo. Se esperamos que o perigo atinja nossos filhos, ele invariavelmente atinge. Por isso, nossas profecias realizadas por terem sido proferidas fazem, muitas vezes, com que os nossos piores pesadelos se materializem.

Portanto, desde cedo, os atos e pensamentos de nossos filhos são reprimidos a tal ponto que eles têm medo de pensar por conta própria. Precisam se voltar para uma autoridade em busca de orientação, seja a autoridade paterna ou outra. É assim que eles param de procurar as respostas internamente. Em vez disso, ficam extremamente versados na leitura dos sinais mais sutis de aceitação e rejeição para obter qualquer tipo de resposta positiva que o mundo externo pode dar.

Controle e domínio

Há séculos os pais passam por uma lavagem cerebral para acreditar que a melhor forma de criar os filhos é exercer o controle, usando seu tamanho e experiência em seu favor. A premissa básica é que, se resolvermos impor nossa vontade aos filhos para que eles se tornem os adultos que queremos que sejam, em vez de instruí-los e orientá-los para que façam suas próprias opções, nós os estaremos levando a ser como nós: crianças orientadas pelo mundo externo.

Ensinamos nossos filhos a aceitar os padrões de comportamento e crenças artificiais da sociedade por dois motivos. Primeiro, queremos protegê-los do ridículo, da exclusão e da crítica. Todos querem que os filhos sejam bem adaptados – que sejam felizes e bem-sucedidos na sociedade. Em segundo lugar, algumas pessoas usam os filhos para satisfazer o que falta em sua própria vida. Para essas criaturas, os filhos são troféus que elas podem exibir ao mundo. Por esses dois motivos, os pais, sem saber, encorajam os filhos a criar um "eu" falso que satisfaz as necessidades dos pais, bem como as expectativas da sociedade, mas que muitas vezes deixa os filhos confusos, perdidos e infelizes. Vamos ver de que maneira é possível corrigir esses habitozinhos irritantes que nos ajudaram a criar todos esses problemas. Existem três facetas do domínio dos pais que precisamos discutir:

- "Como foi que você teve coragem de fazer isso?"
- "Quem pensa nesta casa sou eu" [também conhecido por "Papai (ou mamãe) sabe-tudo"]
- "Deixa que eu mostro como você tem de ser"

"Como você teve coragem de fazer isso?"

Esse é, provavelmente, o pior tipo de dominação, porque nem sempre as crianças o vêem como uma forma de controle. Envolve táticas sub-reptícias como culpa, martírio e vergonha. Como você vai ver, essas táticas também transmitem a mensagem de amor e aprovação condicionais às crianças. Heidi, de quinze anos, diz: "Meu pai me pressiona para eu tirar notas altas. Quando tiro um B, ele me faz sentir mal comigo mesma. Uma vez, na sexta série, tirei 8,2 numa prova, e ele me fez sentir como se eu fosse uma retardada". Eis aqui algumas observações que ouvi de alguns pais que ilustram bem essas artimanhas:

"Mas, meu bem, se você realmente me amasse, se esforçaria mais na escola." (culpa)

"Não, tudo bem. Eu vou preparar seu lanche para a escola amanhã. Sou eu que faço tudo nesta casa mesmo, você nunca percebeu que sou sua escrava pessoal?" (martírio)

"Quer dizer que você foi mal em química? Seu pai e sua mãe são químicos, pelo amor de Deus! Você está desgraçando o nome da família!" (vergonha)

Embora esses exemplos sejam extremos, se prestarmos atenção a algumas das coisas que dizemos a nossos filhos, vamos notar formas mais sutis de todos eles.

"Será que não dá para você se levantar mais cedo de manhã? Toda vez que você perde o ônibus eu tenho de madrugar para levar você. Depois fico acabada durante o resto do dia." (culpa)

"Você sabe que provavelmente vou ser despedida por faltar tanto ao trabalho, mas tudo bem. Não quero ser uma daquelas mães horríveis que nunca assistem aos jogos de futebol dos filhos; portanto, é um risco que tenho de correr, eu acho." (martírio)

"Você tirou C na prova de gramática? Uau, foi a nota mais baixa que você já tirou na vida! Aposto que todos na classe se saíram melhor do que você." (vergonha)

Mesmo esses exemplos mais sutis cobram seu preço em termos da capacidade de seus filhos se tornarem auto-orientados. Uma das observações mais comuns para gerar culpa ou vergonha que fazemos é "Estou decepcionado com você". Parece inofensivo. Todos dizemos isso. Mas condiciona nossos filhos a fazerem opções com base no que vai nos agradar, e não no que eles acham certo. Portanto, precisamos tomar muito cuidado com o que sai de nossa boca. Precisamos nos perguntar todas as vezes: "Quando digo isso, estou sendo um instrutor ou um ditador?".

Papai sabe-tudo

Todos os pais são culpados por dizerem aos filhos o que pensar e, por conseguinte, como se comportar e o que sentir. Aqui estão alguns comentários dos filhos:

"Meus pais estão sempre apontando o que há de errado em mim."

"Eles tentam administrar a minha vida o tempo todo. Isso me deixa louco. Deviam confiar mais em mim e me deixar resolver as coisas do meu jeito. Quero dizer, acho que posso fazer a maior parte das coisas sem fazer a confusão que eles acham que eu vou fazer."

"Deus do céu, sinto-me como se estivessem me vendo num microscópio. Eu simplesmente vou para o meu quarto e fecho a porta, para ver se tenho um pouco de sossego."

"Às vezes, penso que minha mãe e meu pai não acham que eu tenha cérebro. Talvez eles achem que eu ainda não sei usá-lo. Seja como for, às vezes é o cérebro **deles** que tem um parafuso a menos."

"Gostaria que meus pais não se intrometessem na minha vida o tempo todo."

Maus hábitos dos pais

Abaixo estão seis modos que os pais costumam usar para dizer aos filhos como pensar, comportar-se e sentir. Embora não tenhamos esperanças de mudar esses hábitos da noite para o dia, podemos fazer o possível para evitá-los:

- Crítica
- Juízos de valor e avaliações
- Reprimendas e castigos sem lógica
- Doutrinação mental
- Excesso de controle
- Estar sempre tentando salvá-los

1. Crítica

A crítica é o ato de achar defeitos em alguém. É certo fazê-la, desde que sua motivação seja ajudar a mudar as coisas para melhor, mas, se nada de bom puder resultar dela, esqueça. Ficar o tempo todo ralhando com os filhos (críticas mal disfarçadas) é como um parente próximo que quase toda criança com cérebro acha extremamente irritante. Ambas – criticar e ralhar – são formas de avaliação que dizem às crianças que elas estão no caminho errado em termos de criar uma identidade aceitável. Com críticas e censuras ajudamos nossos filhos a se definirem em termos de seus defeitos, em vez de se definirem em termos de suas qualidades. Por isso crescem achando que nossa aprovação e amor por eles são condicionais.

Através da crítica "destrutiva", nossos filhos aceitam idéias sobre si mesmos criadas por nós e por outras figuras de autoridade, não aquelas geradas por seu processo pessoal de raciocínio. Por isso precisamos analisar toda crítica para ter certeza de que ela vai fazer mais bem que mal. Há muita coisa que dizemos que teria sido melhor calar.

2. Juízos de valor e avaliações

Os juízos de valor e avaliações fazem muito no sentido de desencorajar a auto-orientação em nossos filhos. Por causa daquele mesmo medo de que nossos filhos não vão satisfazer as expectativas sociais, fazemos freqüentemente avaliações negativas que convencem nossos filhos de que nossas idéias e pensamentos são superiores. Em outras palavras, os juízos de valor e as avaliações representam nossas próprias observações e conclusões sendo impostas aos filhos. Trata-se, mais uma vez, de um expediente com cheiro de amor condicional. Todos fazemos esse tipo de coisa. Veja se consegue reconhecer alguma dessas frases:

"A vida vai ser dura para você, pois você não quer saber de estudar."

"Aquele diretor da sua escola não sabe de nada!"

"Química orgânica é um curso chatíssimo."

"Você é desajeitado por natureza. Não é culpa sua."

Afirmações também podem ser uma forma de avaliação. Veja esses exemplos:

"Tudo bem, eu também fiquei completamente obcecado com meu cabelo quando estava na oitava série."

"Não se preocupe, quando eu era criança tive o mesmo problema de ortografia."

Toda vez que fazemos esse tipo de afirmação, enviamos a nossos filhos a mensagem de que, se não forem exatamente como nós, há algo de errado com eles, o que significa que precisam voltar para a prancheta e refazer o desenho de seu "eu" falso. Sempre que fazemos avaliações de nossos filhos, é bom deixarmos claro que se trata de opiniões, não de editos gravados em pedra. Aqui também fazer essas distinções requer que a gente tome cuidado, prestando atenção a tudo quanto dizemos e fazendo o possível para encorajá-los a pensar por si mesmos.

3. Reprimendas e castigos sem lógica

Uma reprimenda condenatória também é uma arma capaz de transformar a mais auto-orientada das crianças no mais obediente cordeirinho guiado por fatores externos. É um estágio mais avançado da crítica. Se a crítica é uma advertência aos filhos de que se desviaram do caminho que abrimos para eles, a reprimenda é o reconhecimento de que chegaram ao destino errado. Muitas vezes as reprimendas refletem nossos sentimentos negativos, principalmente a raiva e a decepção. Veja como essas observações podem ser destrutivas:

"Como ousa falar comigo nesse tom de voz?"

"Você nem sequer levou o lixo para fora. Não posso acreditar que seja tão preguiçoso assim!"

O castigo sem lógica leva essa negatividade mais longe ainda. É a reprimenda conjugada a conseqüências impostas ilogicamente pelos pais. Entre os exemplos estão: bater nas crianças por não dizerem a verdade, fazê-las escrever "Vou obedecer a meus pais" cem vezes numa folha de papel e mandá-las para a cama sem o jantar por estarem "fazendo hora" em vez de fazer o dever de casa. Esses castigos só fazem nossos filhos concentrarem a atenção no mundo externo, na raiva que estão de nós, e conseguem pouco em termos de corrigir o mau comportamento. As abordagens alternativas de disciplina, como conseqüências lógicas e não degradantes, serão discutidas mais adiante. Por enquanto, basta dizer que os castigos ilógicos, dados como decretos autoritários, são inúteis e só destroem a capacidade de nossos filhos se orientarem. Além disso, as crianças em geral dão ouvidos às reprimendas e aceitam os castigos por medo de represálias, não porque é a coisa certa a fazer. Dessa forma, o "respeito" que elas têm pelos pais é algo que é exigido, em vez de ser espontâneo.

4. Doutrinação mental

A doutrinação mental é muito, muito usada. Enquanto todos os itens anteriores transformam indiretamente os processos mentais de nossos filhos, a doutrinação mental faz isso de forma mais direta. Exemplos típicos são observações como:

"Você devia se orgulhar por tirar uma nota tão boa assim no boletim escolar."

"Você devia ter vergonha! Seu irmão entrou no time de futebol sem nenhum problema!"

"Você devia ter vergonha de dizer essas coisas nojentas em sala de aula!"

Com essa doutrinação, ensinamos diretamente nossos filhos o que devem pensar. Depois de algum tempo, eles param de usar o pensamento consciente para decidir no que pensar ou sentir. Formas melhores de fazer as afirmações acima seriam:

"Uau, você deu um duro danado naquele trabalho que apresentou à classe. Não é de admirar que tenha tirado A. Como é que se sente?"

"Você não conseguiu entrar no time de futebol? Bem, sei que você se esforçou bastante. Como está se sentindo? Vai tentar de novo no semestre que vem?"

"Como você acha que seus colegas se sentiram quando você disse essas coisas em sala de aula? O que vai fazer para consertar as coisas?"

Como se pode ver, todos esses exemplos incentivam as crianças a usar sua capacidade de raciocínio para chegar às suas próprias conclusões e soluções, e essa maneira de dizer as coisas não as obriga a aceitar uma opinião ou juízo de valor que não seja o delas.

5. Excesso de controle

Para assegurar a criação de um eu completamente falso, muitas vezes usamos técnicas coercitivas, como dar ordens, castigos físicos, ameaças e ultimatos.

Ao dar ordens, dizemos a nossos filhos como administrar sua vida. É como na história de Gepeto e Pinóquio. Alguns exemplos e suas alternativas:

"Não se esqueça da mochila" *em vez de* "Será que você não está esquecendo nada antes que o ônibus escolar chegue?"

"Você precisa usar capacete quando sai de bicicleta" *em vez de* "Não é seguro andar de bicicleta sem capacete."

"Ponha o casaco. Está um gelo lá fora!" *em vez de* "Parece que a temperatura vai cair muito hoje de tarde."

"Vai lá e comece a fazer o dever de casa assim que terminar o lanche!" em vez de deixar a própria criança tomar a iniciativa. Bem, se elas não entenderem que precisam fazer o dever de casa toda noite, provavelmente vão ter grandes problemas, como ter de fazer o dever de casa antes de qualquer outra coisa!

"Não se esqueça de ligar para seu amigo Jerry e pedir-lhe para mandar um fax com aquela lista de palavras que você esqueceu!" em vez de simplesmente deixá-lo sofrer as conseqüências da prova de ortografia que vai fazer na manhã seguinte.

Como vê, embora em geral seja mais fácil dizer-lhes o que têm de fazer, é muito melhor dar-lhes as informações que vão ajudá-los a usar sua própria capacidade de raciocinar para deduzir as coisas, ou deixá-los sofrer as conseqüências lógicas por suas opções erradas.

O castigo físico é usado com uma freqüência alarmante, talvez por causa do estresse inerente ao ritmo frenético de nossa vida, com a agenda sempre repleta. Muitos pais acham o espancamento o único meio para criar um filho obediente, enquanto outros, afogados pelas pressões do dia, simplesmente perdem o controle e, no calor do momento, não conseguem ver nenhuma alternativa. Ambas as abordagens têm efeitos perniciosos. Em primeiro lugar, ensinam a nossos filhos que a violência é uma solução aceitável para muitos de seus conflitos. Em segundo lugar, dizem-lhes que são seres inferiores que precisam ser dominados e oprimidos. Isso lhes transmite a mensagem de que são apenas uma fonte de problemas e não têm o mesmo valor para o mundo que os adultos. Quando perdemos realmente as estribeiras e batemos em nossos filhos ou os espancamos, podemos tentar pedir perdão imediatamente por nosso comportamento, sem acrescentar uma desculpa como: "Desculpe por ter batido em você, *mas* você estava fazendo tanto barulho que não consegui me conter".

É fácil ver as repercussões desastrosas do castigo físico em nossa sociedade contemporânea. A incidência de crimes entre jovens como homicídios, assaltos, vandalismo e estupros aumentou numa velocidade estonteante. Além disso, as motivações por trás dos crimes violentos passaram a ser muito mais triviais. Crimes recentes, como os tiros fatais dados por um menino de oito anos num idoso sentado numa cadeira de rodas, em troca de quinze centavos, ilustram essa observação. Muitos podem perguntar: "Mas o que essa criança estava pensando?". É exatamente sobre isso que quero falar – ela não estava pensando. Estava reagindo inconscientemente, em vez de usar sua capacidade de raciocínio para resolver um conflito ou deter um impulso. Em vez disso, optou por se deixar levar pela noção de que a violência é um instrumento apropriado e útil para resolver problemas, e pelo sentimento coletivo de que tem direito a algo sem fazer força. Optou por adotar essas crenças e pensamentos dos outros, porque renunciou à responsabilidade de criar os seus por meio do raciocínio consciente. Em outras palavras, optou por agir orientada pelos fatores externos, em vez de ser auto-orientada.

Ameaças e ultimatos são instrumentos eficientes dos pais para exercer o controle. Alguns exemplos:

"Se não se sentar nesta cadeira neste minuto, vai ficar de castigo por um mês!"

"Estou avisando pela última vez. Se as notas não melhorarem no próximo bimestre, adeus carro. Por mim, pode ir de *skate* para a escola!"

"Se disser mais uma palavra como essa, vou lhe arrancar os dentes no tapa!"

Novamente, como no caso do castigo físico, essas táticas só intimidam nossos filhos para obrigá-los a fazer o que queremos que façam. Reagem em função do medo, não da razão. Quando estamos educando e disciplinando nossos filhos, precisamos ter certeza de estar deixando espaço suficiente para eles pensarem. Para serem auto-orientados, têm de descobrir suas próprias motivações para se comportar, pensar e sentir de uma determinada maneira. A auto-orientação requer um esforço constante da parte deles, assim como introduzir o raciocínio em seu processo de tomada de decisão.

6. Tentar salvá-los

Em nossa sociedade atual, a vida parece depender de irmos em frente em alta velocidade. Presos a esse ritmo frenético, freqüentemente achamos mais fácil viver a vida de nossos filhos *por* eles. Muitas vezes lavei a louça do café-da-manhã usada por meus filhos, escolhi suas roupas para a manhã seguinte ou peguei o telefone para saber onde encontrar uma linda corrente que um deles viu na mochila de um amigo. Muitas vezes me surpreendi limpando o leite que eles derramaram e ligando para a escola para saber se era permitido o uso de calculadoras nas provas. Veja você, essas são atividades que meus filhos poderiam muito bem ter feito sozinhos. Na verdade, fazê-las teria ajudado muito a promover sua assertividade e sua capacidade de resolver problemas e tomar decisões. Mas muitas vezes parecia muito mais fácil fazer as coisas por eles, para "tirar logo aquilo da frente" e não ter de me preocupar mais com o problema. Meu medo era que, se essas tarefas não fossem feitas, desencadeariam um dilúvio de observações irritantes de minha parte, ou a atitude de "coitadinho" da parte deles. De qualquer forma, a influência dos fatores externos estava em ação. Eu não podia suportar a opinião de que eu era uma mãe negligente, inepta – nem minha, nem de ninguém à minha volta.

Muitos pais chegam ao ponto de escolher amigos, passatempos, esportes, roupas e outras coisas para os filhos. Alguns têm medo de vê-los sofrer as conseqüências de uma opção errada. Outros tremem com a idéia de que as opções de seus filhos façam-nos parecer maus pais. Por isso, pensam por eles, sentem por eles e agem por eles. Negar às crianças essa prática da tomada de decisões leva mais tarde a uma dificuldade terrível de resolver problemas e, quanto mais eles crescem, tanto maior o preço de suas opções e das conseqüências delas.

Eis alguns exemplos do "fator salvação" e das formas de dar a nossos filhos uma liberdade condicional:

Quando um filho diz: *"Mamãe, vou ficar de castigo na escola por ter chegado atrasado, e cai justo no dia do nosso jogo de futebol mais importante! Me ajuda! Será que não pode conversar com a minha professora, ou algo assim?"*, eu diria apenas algo do gênero: *"Menino, que azar o seu! Mas você é muito esperto, tenho certeza de que vai conseguir dar um jeito nas coisas, com ou sem jogo de futebol."*

Quando pedem ajuda assim: *"Pai, será que você não podia ser um cara superlegal e digitar meu trabalho da escola? As anotações estão todas aqui. Eu ia fazer isso, mas tenho um encontro com a Cindy hoje à noite. Você não vai querer que eu a decepcione, vai?"*, eu responderia o seguinte: *"Puxa vida, eu gostaria de ajudá-lo, filho, mas já vi você digitando. Tem uma velocidade dos diabos. Depois que começar, não quer que eu telefone para a Cindy para dizer que você já está indo?"*

Em resumo, alguns pais vão em socorro dos filhos porque não suportam vê-los sofrer. Outros vão porque não querem parecer ruins. Outros ainda vão porque não querem sofrer as inconveniências dos erros de seus filhos. Seja como for, é um lugar-comum em nossa sociedade. E, como essa atitude lhes permite ignorar o processo de raciocínio, incentiva-os mais ainda a se esconder atrás de um falso "eu". Essas crianças passam a acreditar que não há respostas seguras e confiáveis dentro delas, porque nunca tiveram a chance de olhar lá, para começo de conversa.

Atitudes a evitar

Existem três atitudes dos pais determinadas por fatores externos que você deve fazer o possível para evitar nesse tipo de dominação: pressionar os filhos para se conformarem aos padrões vigentes, compará-los com outros e usar rótulos e generalizações. Vamos examinar um por um em detalhe.

1. Pressão para se conformarem

Uma entrevistada de quinze anos diz: "Conheço uma menina cuja mãe lhe diz quem namorar, o que usar e coisas do gênero. Ela tem muito medo de que ninguém goste da filha e que isso vai dar a impressão de que ela não é boa mãe". Nós, pais, não queremos ser esquisitos; por que então haveríamos de querer que nossos filhos fossem? Mas não é só isso; crianças extremamente individualistas, que não se encaixam nos padrões, às vezes podem ser assustadoras para nós. Não sabemos o que fazer com a auto-expressão e criatividade exuberantes. Muitas vezes, elas não se conformam aos padrões artificiais da sociedade que nós lhes transmitimos. Será que vão levar os outros a nos considerarem maus pais, pais que não conseguem controlar os próprios filhos? Será que nossos pequenos inconformistas estarão em desvantagem quando forem para o mundo lá fora? Será que vão decepcionar os outros e se decepcionar?

Mas, tal como vejo as coisas, se as crianças querem usar meias amarelas, *shorts* vermelhos e uma camisa roxa para ir à aula, isso não devia importar aos pais – aliás, nem a mais ninguém. Se querem colorir de azul a crina do cavalo que desenharam, isso não só deve ser permitido, como incentivado. Claro, já fiquei apavorada com algumas combinações de roupa que meus filhos usaram ao sair na maior alegria para a escola. Mas suponho que minha hesitação tenha sido mais influenciada pelo medo de ser considerada uma mãe negligente do que por dúvidas em relação ao gosto dos meus filhos.

Eis alguns exemplos de afirmações que fazemos para pressionar nossos filhos no sentido de se conformarem aos padrões vigentes:

"Ninguém usa bota com *shorts*! Você está louca?"

"Você não pode sair desse jeito; todo mundo vai rir de você!"

"Meu Deus, você ainda ouve os Backstreet Boys! Eles estão completamente fora de moda agora!"

"Você não pode usar estampado com xadrez! Os dois são muito chamativos. Vá pôr uma camisa de uma cor só."

Precisamos estar extremamente alertas para qualquer tipo de afirmação que chegue a impelir nossos filhos a se conformarem ao resto da sociedade. Precisamos aceitar o fato de serem diferentes, criativos e expressivos de formas que não são a prática corrente. Caso contrário, só estaremos pensando e fazendo escolhas por eles. Acabar com a individualidade deles vai levá-los a tomar todas as decisões futuras com base nas influências externas, usando outras influências além de nós para garantir a conformidade. Além disso, você pode ter uma verdadeira pérola nas mãos. Algumas de nossas personalidades mais fascinantes, que mais contribuíram para a humanidade, foram consideradas extremamente criativas e excêntricas. Basta lembrar de Albert Einstein e Georgia O'Keeffe. Esses "esquisitões" não são bons modelos?

2. O uso de comparações

Alguns pais e mães acham que as comparações são uma boa tática para pressionar os filhos no sentido de serem melhores do que são. Mais uma vez, o artifício da aprovação condicional. Essas confissões da vida real de pais entrevistados mostram muito bem o quadro:

"Por que você não é como as outras crianças e não tenta entrar para o time de futebol?"

"Ouvi dizer que o nosso vizinho Billy só tira nota A. Do jeito como vejo as coisas, se ele consegue, você também pode conseguir. Portanto, vamos trabalhar mais, meu jovem!"

Não há o que discutir. Essas comparações só fazem as crianças se sentirem péssimas. Ao compará-las com outras, os pais estão simplesmente lhes dizendo que elas não são o que esperavam que fossem. Essas crianças vão acabar crescendo com medo de olhar para dentro de si e se avaliar. Aprendem a depender de parâmetros externos, como a opinião dos outros, para se avaliar pessoalmente. Em outras palavras, passam a depender de fatores externos para se definirem.

É melhor comparar nossos filhos com seu desempenho passado, em vez de compará-los com outras crianças. Dessa forma, eles podem deduzir que mudanças, se houver necessidade de alguma, devem fazer. Quando aprendem a usar a si mesmos como seu próprio parâmetro, tornam-se mestres em auto-avaliação – um atributo fundamental dos auto-orientados.

3. Rótulos e generalizações

Além de papel pega-mosca, não há nada que cole mais do que os rótulos e as generalizações. Ambas as estratégias de controle obrigam nossos filhos a pensar em si de acordo com os termos que nós estabelecemos. Não importa se essas observações são acuradas ou não. É claro, nós somos mais velhos e sabemos mais, portanto eles caem nessa toda vez! Eis alguns exemplos:

"Meu bem, você não tem como evitar. Sempre vai ser devagar na leitura."

"Você é o gênio da família."

"Seu mão pesada, parece que tudo quanto você toca quebra!"

Essas observações podem se transformar em combustível para futuras desculpas e justificativas. Uma criança admitiu: "Meus pais às vezes me chamam de preguiçosa ou gorda, e eu simplesmente uso isso como desculpa para não ter de fazer alguma coisa. É algo do tipo: bem, é assim que eu sou, não posso fazer nada a respeito. Nasci desse jeito". Essas crianças ficam confusas em relação à sua verdadeira identidade. Precisam chegar à conclusão de quem são por conta própria.

E também temos as generalizações:

"Você sempre perde alguma coisa! Só não perde a cabeça porque está grudada no pescoço!"

"Você é sempre lento! Vamos logo com isso!"

"Você nunca faz nada certo."

Essas generalizações freqüentemente contêm palavras como "nunca" e "sempre". Fazem nossos filhos desistirem de se livrar das avaliações feitas a seu respeito, sejam quais forem. Fazem com que pensem que esses atributos são tão importantes que impregnam todos os seus pensamentos e atos. Na verdade, acabam mesmo por impedi-los de superar o problema, voltando-se para dentro na tentativa de descobrir quem são. As crianças auto-orientadas definem-se somente em função de sua auto-avaliação. Esse senso de identidade é tipicamente imparcial e deriva de seu desempenho e experiências passadas, de seu senso de determinação, de seus dons e talentos, de seus desejos e interesses e de sua forma particular, encontrada por elas mesmas, de contribuir para a vida social.

A influência do irmão

O irmão pode ser o melhor amigo de seu filho, ou seu pior inimigo (dependendo da hora do dia). As relações entre irmãos podem ser as mais intensas e duradouras da vida de uma criança. É importante compreender a dinâmica das relações de seus filhos entre si por causa da influência tremenda que essas relações exercem. Essa influência é ativada em parte por sua competição pelo amor e aprovação dos pais. Quanto mais intensa e viva for essa competição, tanto mais nossos filhos serão influenciados por fatores externos no que disser respeito ao irmão. Vão se desenvolver no sentido de reagir, em vez de responder e aprender com esse irmão.

Quando nossos filhos competem por atenção dentro da família, aprendem a manipular os irmãos e a nós. Para evitar esse jogo de poder interminável entre um filho, o irmão e os pais, podemos tentar nos manter completamente fora dos conflitos que as crianças têm entre si. Devemos evitar tomar partido e intervir (a menos que haja sério perigo físico ou emocional), porque senão vamos estar nos redefinindo em termos das influências externas. Quando fazemos isso, eles nunca aprendem a resolver as coisas sozinhos, usando a orientação interna e a comunicação entre irmãos.

Acredito que as diferenças entre irmãos podem ser uma fonte maravilhosa de sabedoria e crescimento para nossos filhos, mas isso só acontece quando as crianças chegam à conclusão de que as características, crenças e princípios do irmão podem ajudá-las em vários níveis. Essa escolha consciente envolve o diálogo interno que é típico das crianças auto-orientadas. Se lhes ensinarmos agora a desenvolver esse diálogo, não nos permitindo envolver-nos em seus desentendimentos, não os comparando uns com os outros e não pondo um contra o outro, terão menos probabilidade de adotar impensadamente as características dos irmãos só para se tornarem mais aceitáveis a nossos olhos.

Seguem-se algumas sugestões para ajudar a estabelecer uma trégua nas guerras entre irmãos, a fim de que nossos filhos respondam às influências positivas de seus irmãos e irmãs, em vez de reagirem aos elementos negativos, deixando-se dirigir por fatores externos.

• Devemos tentar evitar dizer que amamos a todos igualmente, porque assim eles não vão sentir que temos uma relação pessoal e única com cada um deles. Digo a meus filhos que amo cada um deles de uma forma diferente.

• Devemos fazer o possível para não comparar uma criança com outra. Até alusões sutis podem criar uma impressão duradoura.

• Nunca devemos mostrar favoritismo! Às vezes isso é difícil porque, pensando bem, todos os pais têm um filho ao qual se sentem mais ligados.

• Repetindo: não devemos interferir nas brigas entre irmãos, a menos que haja ossos quebrados ou mutilações iminentes. É raro os irmãos machucarem seriamente uns aos outros. Essa abordagem *laissez-faire* significa que não devemos colaborar com nenhuma das partes. Quando Johnny vem se queixar de que Bobby puxou seu cabelo e chutou sua canela, seria um erro concordar com uma afirmação como: "Sei, Johnny. Detesto quando Bobby machuca você desse jeito, mas ele está passando por maus bocados na escola ultimamente, talvez por isso ele esteja tão irritado. Se eu fosse você, não chegava perto dele". Seria melhor dizer: "Fico com pena de você estar todo dolorido, mas sei que tem condições de achar um jeito de lidar com seu irmão por conta própria. É tarefa sua, não minha".

• Precisamos mostrar a nossos filhos que podem ser modelos positivos uns para os outros. Por exemplo: podemos pedir aos mais velhos para ler uma história para os mais novos na hora de dormir. Ou podemos pedir aos mais novos para ajudar os mais velhos a colorir um mapa para um trabalho da escola, se por acaso tiverem mais inclinação artística.

• Podemos ensinar nossos filhos que seus desentendimentos mútuos, desde que não se machuquem seriamente, podem ajudá-los a explorar e formar sua própria identidade, bem como suas crenças e opiniões pessoais.

• Devemos evitar ignorar ou nos contrapor a qualquer sentimento negativo que nossos filhos possam ter uns pelos outros. Eles entendem qualquer interferência como tomada de partido. É melhor ficarmos neutros, simplesmente mostrando a eles que entendemos como se sentem. Eis um exemplo: *Rachel: "Mamãe, o Jimmy arrancou a cabeça da minha Barbie favorita e tentou dá-la para o cachorro comer!". Mãe: "Sinto muito por você e o Jimmy terem brigado. Sei o quanto isso irritou você".*

- É bom encorajar nossos filhos a trabalharem juntos, para aprenderem a ser cooperativos. *"Por que você e Mary não me ajudam a tirar a louça da máquina de lavar?" "Robin, será que você pode cuidar da Sarah um pouquinho enquanto eu dou um telefonema?"*
- Quando uma das crianças é muito mais velha que as outras, podemos atribuir-lhe certos papéis de supervisão. Ele ou ela pode ajudar a estabelecer a paz entre os nativos selvagens e irrequietos. Ele ou ela também pode ser incentivado(a) a ajudar a ensinar os menores. *"Tommy, você é tão bom em matemática... Será que pode ajudar Adam com as contas?"*
- Quando um de nossos filhos se machuca, podemos ajudar a evocar sentimentos de empatia nos outros pedindo sua ajuda. *"Sarah, seu irmão caiu da bicicleta. Será que você pode segurar o algodão em cima do machucado enquanto faço um curativo?"* Quando nossos filhos se sentem úteis aos irmãos, esse fato ajuda a criar uma relação mais carinhosa entre eles.
- Devemos tentar não rotular nossos filhos. *"Josh é nosso intelectualzinho!"* ou *"Joe é um tremendo encrenqueiro!"*. Os rótulos só fornecem munição aos outros para a próxima guerra entre irmãos.
- Podemos descobrir muitas formas de incentivar nossos filhos a se tratarem como amigos. Quando passam pela perda inevitável de uma amizade, podemos lembrá-los da sorte que têm por terem os irmãos como companheiros da vida toda. Mesmo que as brigas entre eles sejam inevitáveis, sempre vão se amar uns aos outros ano após ano, década após década.
- Fazê-los dormir na mesma cama pode ajudar a fortalecer o vínculo entre eles. Quando o sol se põe, suas energias para as brigas também diminuem. Tendo de estar juntos num espaço restrito, são obrigados a encontrar uma forma de se entenderem, senão ninguém dorme.

Quando essas brigas feias e recorrentes acontecem de fato, lembre-se sempre de que os pais são o ponto de referência, não os juízes e o júri. Isso significa que precisamos lhes permitir resolver as coisas sozinhos, de preferência longe da gente. Na verdade, algumas brigas entre irmãos são boas. É o jeito de eles testarem os limites sociais na resolução dos conflitos, algo com que vão se deparar naquele mundo louco lá fora, além dos muros da casa. Só precisamos ensinar nossos filhos a atuar dentro desses limites.

A importância de uma identidade familiar

Depois de eliminarmos aqueles aspectos do ambiente familiar que promovem a influência dos fatores externos sobre as crianças, construir a identidade familiar pode ser muito importante para fortalecer e manter o ambiente certo para a auto-orientação. Quanto mais forte a identidade familiar, tanto mais à vontade nossos filhos estarão em sua própria pele – um pré-requisito crucial para se tornarem auto-orientados. As crianças cujas famílias têm identidades precárias costumam buscar orientação nos fatores externos, a fim de se sentirem parte de um grupo, algo que não conseguiram obter no âmbito de seu lar.

Criar uma identidade familiar é uma forma eficiente de instilar em nossos filhos um senso de permanência, de fazer parte de algo maior e de estabilidade. Toda forma pela qual pudermos transmitir esse senso de identidade é importante. Tradições e rituais familiares, quer acompanhem ou não as festas de final de ano, são coisas pelas quais nossos filhos ficam esperando. As famílias que entrevistei dizem que criaram sua identidade familiar saindo de férias uma vez por ano com um destino específico; cantando "Parabéns pra você" de uma forma especial, amalucada; repetindo pequenos provérbios; servindo pratos especiais no Dia de Ação de Graças; saindo com cada um dos filhos em separado, num programa de "amigos"; tendo jantares de pai e filha; saídas da mãe com o filho, etc. Ver juntos os vídeos da família e ter à mão os álbuns de fotografias que registram os anos da vida familiar podem alimentar um grande sentimento de união e algumas boas gargalhadas. Muitas famílias entrevistadas acham que os jantares de família são oportunidades cruciais para fortalecer esse senso de identidade. Vêem o jantar como um momento maravilhoso para as crianças se expressarem livremente como indivíduos e como membros da família. Mas é preciso que seja um ambiente inteiramente livre de avaliações, críticas ou juízos de valor que possam atrapalhar essa liberdade de expressão. Nunca devemos denunciar o que dizem e nunca devemos nos sentir impelidos a contrapor com uma idéia melhor todas as vezes.

Uma identidade familiar forte resolve a questão de instilar valores em nossos filhos com mais facilidade. Podemos tentar dizer coisas como: "Em nossa família não se mente", ou "A família Vasquez mostra respeito por seus amigos", ou "Usamos o diálogo em nossa família, não agressões". Essa expressão dos valores mostra aquilo a que damos importância como família.

Por exemplo: para mostrar a meus filhos os benefícios da generosidade, gostamos de sair na véspera do Natal distribuindo lençóis, meias, luvas e casacos para os moradores de rua. Para lhes mostrar as virtudes de uma sólida ética profissional, bem como a importância da lealdade e da responsabilidade, apresentamos a família toda como voluntária para administrar as quermesses e outras atividades de levantamento de fundos para nossas escolas. A identidade familiar pode ser usada até para defender os princípios da auto-orientação. Procuramos dizer coisas como: "Em nossa família, não interferimos nas brigas entre irmãos", ou "Em nossa família, acreditamos nas pessoas que pensam com a própria cabeça", ou "Em nossa família, ouvimos música/usamos as roupas até acabarem/escolhemos nossos amigos/fazemos algo porque achamos que é a coisa certa para nós".

Agora que já sabemos como construir e manter um ambiente auto-orientado no seio da família, nossos filhos têm condições de absorver parte da orientação que lhes damos com as outras seis estratégias que se seguem.

2
Como ajudar as crianças a desenvolver um diálogo interno saudável

> *Assim que você consegue dizer o que pensa,*
> *e não o que outra pessoa pensou por você, você*
> *está prestes a se tornar um homem notável.*
> J. M. Barrie

Oito técnicas para incentivar a introspecção

O instrumento mais importante dos auto-orientados é uma capacidade muito grande de usar o diálogo interior para tomar decisões e fazer escolhas. Com esse instrumento, conseguem processar informações do passado e experiências do presente, e ainda acrescentar observações objetivas vindas do mundo externo. E então podem pesar os prós e os contras e prever as possíveis conseqüências e resultados de suas escolhas potenciais. Essa capacidade de "conversar consigo mesmo" é que faz a maior diferença no sentido de a pessoa responder a seu mundo externo ou de reagir impensadamente a ele. Significa que vai fazer uma opção porque é a coisa certa para ela, não para os outros. Se não favorecermos o desenvolvimento de suas vozes interiores, nossos filhos vão prestar mais atenção à voz dos outros. Olhe à sua volta ou, melhor ainda, prepare-se e preste atenção. Você vai ver que, com essa dependência da orientação externa, chegamos rapidamente a um beco sem saída.

No capítulo anterior, mostrei algumas formas pelas quais desencorajamos o diálogo interno em nossos filhos. Ameaças, ultimatos, avaliações carregadas de preconceitos, críticas, doutrinação mental, reprimendas, ordens, blablablás, sermões, suborno, negociações, etc. dão a nossos filhos poucas oportunidades para fazerem suas escolhas em função de seus próprios motivos. Com essas técnicas de educação de filhos "atiradas na cara", as opções que eles fazem são em função de nossos motivos, não dos deles. Agora vamos examinar oito estratégias que vão incentivá-los a usar a introspecção para fazer suas próprias escolhas.

1. Fazer perguntas

Um das melhores formas de estimular o diálogo interno nos filhos é fazer perguntas. Fazer perguntas às crianças assinala para elas que é sua vez de agir. Quando o ambiente familiar encoraja a auto-orientação, é provável que as crianças reflitam sobre várias respostas. Talvez haja necessidade de alguma orientação, mas só quando elas parecem absolutamente impossibilitadas de responder por si. É claro que não vale quando fazemos perguntas de uma forma agressiva ou desagradável. Atrapalhamos seu diálogo interno quando gritamos a pergunta com um tom irritado ou frustrado. Portanto, devemos tentar ao máximo manter o tom de voz agradável e respeitoso. Eis aqui um exemplo da forma certa de fazer perguntas:

Mãe: "Billy, por que está sentado aqui sozinho enquanto as outras crianças estão brincando?"
Billy: "Ninguém quer brincar comigo!"
Mãe: "Aconteceu alguma coisa?"
Billy: "Bem, ahn, o Tommy me xingou."
Mãe: "De quê?"
Billy: "De trapaceiro."
Mãe: "Por que ele o chamou de trapaceiro?"
Billy: "Porque eu olhei quando estava contando na hora do pique de esconder."
Mãe: "O que você acha que poderia fazer para consertar as coisas entre vocês?"
Billy: "Não sei. Não tenho a menor idéia. Também, ele é um porre! Odeio ele!"
Mãe: "Mas ontem mesmo ele era o seu melhor amigo. O que mudou?"
Billy: "Ele me fez me sentir um burro piolhento!"
Mãe: "Você teve alguma coisa a ver com isso?"
Billy: "Bem, ahn, acho que eu não devia ter olhado."
Mãe: "O que acha que deve fazer?"
Billy: "Acho que posso pedir desculpas."
Mãe: "Parece perfeito. Dê-lhe uma chance, então."

Que tal outro exemplo?

Pai: "Rachel, parece que você está com raiva. O que houve?"
Rachel: "Tenho ódio da minha professora. Ela me deixou de castigo a troco de nada."
Pai: "Quais foram os motivos dela?"
Rachel: "Nada de importante, foi só porque eu esqueci meu livro de matemática na classe outra vez."
Pai: "Por que você acha que a escola tem essa regra?"
Rachel: "Para que os alunos burros da classe não fiquem mais burros ainda."
Pai: "Você notou alguma diferença em suas notas de matemática nesse bimestre?"
Rachel: "Acho que pioraram um pouco."
Pai: "E o que você acha que deve fazer?"
Rachel: "Acho que vou pôr um bilhete na porta do meu armário para não me esquecer da próxima vez."
Pai: "Boa idéia! Acho que vai dar certo!"

Em ambos os exemplos, você pode ver que a criança foi levada a pensar. Compare com uma forma incorreta de fazer perguntas:

Mãe: "Billy, pare de fazer beicinho e vá brincar com as outras crianças."
Billy: "Mas o Tommy me xingou de trapaceiro."
Mãe: "O quê? Você trapaceou? Por que foi que você fez uma coisa estúpida dessas?"
Billy: "Porque eu não queria que o Tommy ganhasse, e não eu."
Mãe: "Você acha mesmo que merece brincar com ele agora?"
Billy: "Não sei."
Mãe: "Pegue suas coisas, vou levar você para casa agora mesmo."

Mais um exemplo de como não fazer perguntas:

Pai: "Por que essa expressão horrível, Missie?"
Rachel: "Você também ficaria louco da vida se ficasse de castigo!"
Pai: "O quê! Quantos castigos você acha que pode pegar antes que lhe dêem uma suspensão?"
Rachel: "Não estou nem aí. Detesto essa escola."

Pai: "E como é que você acha que vai ganhar a vida se não terminar a escola?"
Rachel: "Deixe-me em paz!"

Qual é a diferença? A diferença é um dia bom ou um dia ruim. Uma relação boa ou uma relação ruim. Uma criança que reflete internamente sobre as escolhas que fez ou uma criança que reage às observações dos pais concentrando-se no que o pai ou a mãe fez de errado. Uma criança auto-orientada ou uma criança orientada por fatores externos.

2. Frases inspiradoras

Frases simples também podem dar a partida no mecanismo de diálogo interior de uma criança. Algumas de minhas favoritas são dar informação, fazer observações e usar uma ou duas palavras-chave.

Eis um exemplo de dar informação:

Mãe: "David, não é seguro correr em volta da piscina."
David, pensando: "É mesmo. Tô me lembrando daquele menino que rachou a cabeça aqui no ano passado. Nossa, não vou querer que isso aconteça comigo, não!"

Compare com:

Mãe: "David, pare de correr desse jeito agora mesmo!"
David, pensando: "Ai, como ela é chata! Gostaria que ela parasse de me tratar como um bebê!"

Agora um exemplo de fazer uma observação:

Pai: "Já vi que você não está pronta ainda, mas o convite diz que a festa começa às 9 horas."
Lizzie, pensando: "É mesmo! Eu tinha esquecido. Ai, meu Deus, que bom que ele me lembrou. E se ele também tivesse esquecido? Da próxima vez, é melhor anotar esse tipo de coisa na minha agenda!"

Compare com:

Pai: "Sabe que horas são? Você vai chegar atrasada para aquela festa! Se não estiver vestida e pronta em cinco minutos, pode procurar outra pessoa para levá-la."
Lizzie, pensando: "Nossa, ele me dá nos nervos quando fica desse jeito. Seja como for, eu me apronto em cinco minutos, sem problema. Vou ligar para a Jenny e pedir uma carona. Não vou entrar no carro com aquele monstro de jeito nenhum!"

Aqui vai um exemplo de uma ou duas palavras-chave:

Mãe: "Eliza, o ônibus."
Eliza, pensando: "Oh, meu Deus, estou atrasada. É melhor comer meu sanduíche no ônibus, porque não vou ter tempo de comer em casa agora. Que bom que ela me lembrou. Tenho uma prova de gramática agora de manhã. Acho melhor acordar quinze minutos antes da próxima vez."

Compare com:

Mãe: "Eliza, ouvi o ônibus virar a esquina e estou cheia de ter de levar você para a escola toda vez que você o perde!"
Eliza, pensando: "Ai, meu Deus! Que ódio que eu tenho dela! Como se eu precisasse de mais alguma coisa pra ficar estressada hoje de manhã! Também, a culpa é dela. Ela devia ter me acordado quando viu que meu despertador não tocou."

Repetindo: todas essas palavras-chave fazem as crianças pensarem nos seus próprios problemas e nas maneiras de resolvê-los. Não usá-las só cria uma reação irracional a uma influência externa, a mãe ou o pai.

3. Dar opções com as quais podemos conviver

As crianças ficam à vontade com seu diálogo interior quando lhes permitimos fazer opções. Por exemplo: deixar Sally decidir onde se sentar num restaurante, ou pedir a Tommy para escolher o lugar onde vai ficar na mesa do jantar de Ação de Graças. Claro que há um truquezinho. Temos de nos sentir satisfeitos com a escolha feita! Se não a respeitarmos, nossos filhos vão crescer pensando que suas decisões não contam! Com o tempo, vão confiar cada vez menos na orientação interna e procurar outras pessoas para fazerem as escolhas em seu lugar.

4. Criação do diálogo interior

Nossos filhos podem aprender a criar seu diálogo interior observando-nos. Você alguma vez já "pensou em voz alta"? É em torno disso que gira essa técnica. Vamos direto ao exemplo:

> Você: "O sr. Rask ficou louco da vida comigo por eu não ter chegado naquela reunião na hora. Sei que era muito importante para ele. E lá estava eu, terminando meu jogo de palavras cruzadas em vez de sair logo! Devia ter pensado que ele estava me esperando. Acho que vou lhe pedir desculpas agora mesmo. Talvez deva convidá-lo para almoçar também. Podemos discutir a parte da reunião que eu perdi, e talvez eu possa me oferecer para ajudar mais naquele projeto que ele estava propondo."

É claro que, no começo, seus filhos vão pensar que você enlouqueceu, ao lhe verem falando sozinha, mas é uma forma excelente de ensinar valores, resolução de problemas e os benefícios de não ficar se enganando. É melhor que um sermão ofensivo. Pode até ajudar seus filhos a refletirem sobre essas mesmas questões.

5. Ensaios

Às vezes é bom ajudar os filhos a praticar seu próprio diálogo interior fazendo de conta que é um ensaio para uma peça de teatro. Suponha que Johnny está sendo intimidado pelo valentão da classe. Você pode oferecer ajuda da seguinte maneira:

> Você: "Fiquei sabendo que o Chris está fazendo você passar por maus bocados na escola ultimamente."
> Johnny: "É, ele me empurra toda hora e diz que eu pareço uma menina com esse meu cabelo encaracolado."

Você: "Entendo; vamos fazer uma brincadeira? Vou ser você e você vai ser o Chris. Talvez a gente encontre uma forma de resolver esse problema juntos."
Johnny: "Tá. Em geral ele diz coisas assim: 'Ei, Cachinhos Dourados, aonde é que você está indo, é para casa brincar com as bonecas?'"
Você no papel de Johnny: "Não vou deixar ninguém me tratar desse jeito. Sei que você até podia ser um bom amigo se não ficasse atormentando os outros."
Johnny no papel de Chris: "Fala o nome de um, seu imprestável."
Você no papel de Johnny: "Eu, por exemplo. Você até que joga bem. Eu gostaria que você fizesse parte do time, mas não queremos ninguém sem educação no nosso time."
Johnny no papel de Chris: "Olha aqui, me desculpa, cara. Não queria te aborrecer. Toque aqui e vamos ser bons amigos, o.k.?"
Você no papel de Johnny: "O.k. Vou lhe dar uma chance. Mas, lembre-se, pare com essa encheção."

É claro que essa conversa pode tomar um milhão de direções, por isso é bom ensaiar vários resultados, bons e maus. Mudando de papel de vez em quando, seu filho pode ver o problema de perspectivas diferentes, o que é crucial para o desenvolvimento de um diálogo interno sólido e saudável.

6. Lista dos prós e contras

Ajudar os filhos a fazer uma lista dos prós e contras é um incentivo para eles desenvolverem seu diálogo interior, resolverem problemas e tomarem decisões difíceis. Eles aprendem a pesar variáveis diferentes numa decisão e prever resultados potenciais. Vamos examinar essa proposta dentro de um contexto:

Tim: "Mãe, você acha que eu devo jogar futebol ou beisebol no ano que vem?"
Mãe: "Humm. É uma decisão difícil. Vamos fazer uma lista dos prós e contras?"
Tim: "Ahn?"
Mãe: "Você sabe, as vantagens e desvantagens de cada coisa."
Tim: "Ah, claro, vou fazer! Bem, sou melhor no beisebol."

Mãe: "É, mas você talvez queira melhorar no futebol."
Tim: "É, e o Jimmy vai jogar futebol. É o meu melhor amigo agora."
Mãe: "Seu pai é o técnico do time de beisebol. Isso é um ponto a favor ou contra?"
Tim: "Contra, com certeza. Fico nervoso quando ele fica me rondando."
Mãe: "Olha só. E qual é o horário de cada um?"
Tim: "O futebol é logo depois da aula, de modo que tenho uma folga antes do dever de casa, e não tenho de ficar pedindo carona."
Mãe: "Mas você tem de admitir que as condições do tempo melhoram quando você vai treinar depois do jantar."
Tim: "É verdade. Mas não me importo com o calor. Acho que vou entrar para o time de futebol este ano. O beisebol vai ter de esperar."

Essa lista pode ser feita oralmente ou por escrito. Para os que já estão alfabetizados, pôr as coisas no papel tem benefícios extras no sentido de poder ser lida e relida até a decisão ser tomada e o problema resolvido.

7. Lista das conseqüências

Uma lista das conseqüências é apenas uma variação da lista dos prós e contras. Em vez de se concentrarem nos prós e contras, as crianças fazem só a lista das conseqüências de cada decisão potencial. Por exemplo: se a Sandra está sofrendo sem saber se vai ou não se candidatar para um cargo de representante de classe, juntas vocês podem chegar a essa lista de possíveis conseqüências:

Vou ter de me levantar meia hora mais cedo.
Vou ter de conquistar o respeito de meus amigos e professores.
Vou ter condições de ajudar os menores a atravessar a rua.
Vou ter de perder o clube de xadrez depois da aula durante nove semanas.
Vou poder usar aquele distintivo lindo.
Vou poder me candidatar para o conselho dos alunos no ano que vem.
Vou aprender a ser responsável e pontual.
Vou aprender a organizar meu tempo.
Não vou poder pegar o ônibus com a Jenny toda manhã.
Vou poder praticar boas maneiras.

Depois de discutir ou ler a lista, Sandra vai achar mais fácil tomar uma decisão. E, com o tempo, vai conseguir transformar esse hábito num diálogo interno automático e rápido como um raio, contando consigo mesma, e não com os outros, para fazer escolhas.

8. Dar recompensas que promovam a orientação interna

O conceito de elogios e recompensas está cercado de controvérsias, porque existem tanto formas benéficas quanto perniciosas de elogiar e recompensar.

Para preservar a orientação interna da criança, devemos fazer o possível para que ela não molde seu comportamento só para obter elogios e recompensas. Esse tipo de reação significa que estamos usando uma influência externa para levá-la a fazer certas opções. Uma entrevistada de quinze anos sabe exatamente do que se trata: "Às vezes faço certas coisas só para ganhar um presente ou algo assim. Nem sequer penso se existe uma outra razão para eu fazer aquilo". Nossa tarefa é determinar que formas de elogios e recompensas vão promover a auto-estima de nossos filhos. Vamos começar examinando os seguintes elogios e recompensas e depois explicar por que cada um deles é bom ou ruim.

NÃO ELOGIE as crianças quando elas ganham prêmios, troféus, medalhas ou jogos, nem quando tiram notas boas. Esses são fatores externos. Dizer algo como: "Nossa, como você está bem! Só tem A no seu boletim!" enfatiza mais sua impressão de ganhar/perder do que o trabalho duro (orientação interna).

ELOGIE as crianças pelos atos que as levam a conquistar esses prêmios, troféus, medalhas, jogos ou boas notas. Dizer algo como "Esses As representam um bocado de trabalho duro e determinação de sua parte. Você deve estar orgulhoso" sublinha o esforço da criança, de modo que ela reflete sobre ele e aprende a fazer a ligação entre esforço e resultado.

NÃO ELOGIE uma criança em si: "Você é uma boa menina". Essa é uma avaliação do valor pessoal. Essas avaliações nunca devem vir de uma fonte externa, nem mesmo de um dos pais. Cabe a nossos filhos somente concluir, internamente, que tipo de pessoas são.

Em vez disso, ELOGIE seu comportamento, dizendo: "Você brinca de uma forma muito gostosa com suas amigas". Isso motiva as crianças a refletirem internamente sobre algo em relação ao qual têm controle total – seus atos.

NÃO FAÇA elogios genéricos ou sem sentido. Esse tipo de elogio acaba com a subjetividade, porque, francamente, trata-se apenas de nossa opinião. E nós certamente não queremos que nossos filhos usem as opiniões de figuras de autoridade como um parâmetro em função do qual moldar seu comportamento e tomar decisões na vida. Exemplos desses elogios vazios:

"Uau, belo trabalho esse de juntar as folhas caídas no gramado!"

"Nossa, que desenho maravilhoso você está fazendo!"

"Que mapa lindo você desenhou!"

Você pode perceber que esses tipos de elogio ensinam às crianças que a única forma de distinguirem o certo do errado no que dizem ou fazem é através da aprovação ou aceitação externa. Elas vão acabar criando dependência da opinião dos outros. Até a frase "Estou orgulhoso de você" pode transmitir à criança essa mesma mensagem, de modo que é melhor dizer: "Aposto que você deve estar orgulhoso de si".

Além disso, quando as crianças recebem elogios genéricos ou sem sentido, sua primeira reação costuma ser pensar o oposto. Suponha que um dos pais faz o seguinte comentário: "Billy, você é tão organizado!". Sou capaz de apostar que os primeiros pensamentos de Billy vão se voltar imediatamente para as vezes em que foi desleixado e desorganizado. Quando um dos pais diz: "Jane, você é uma boa menina", sua primeira reação pode ser lembrar-se do quanto se comportou mal na semana anterior. Pode até pensar: "Não, não sou! Sou horrível. Ou você está apenas querendo parecer legal comigo, ou eu estou conseguindo enganar você direitinho!". Em resumo, esse tipo de elogio em geral faz as crianças refletirem sobre seus fracassos anteriores.

FAÇA ELOGIOS que tenham uma natureza específica a seus filhos. Uma maneira de fazer isso é através de observações imparciais, como as seguintes:

"Uau, quantas folhas mortas você juntou no gramado! Dez montinhos! Que trabalheira!"

"Estou vendo que você já fez seu dever de casa e são apenas seis da tarde! Você resolveu todos os seus problemas de matemática sozinho!"

"Você usou um monte de cores lindas naquele mapa de geografia! Olha só em quantas coisas você se lembrou de pôr o nome: rios, montanhas, cidades. Nossa!"

Além disso, ajuda a descrever os benefícios das boas escolhas que eles fizeram:

"Você terminou todos os seus deveres de casa tão depressa que agora vai ter duas horas mais para brincar."

Descrições específicas como uma forma de elogio ajudam as crianças a aprender a confiar em seu próprio julgamento, em vez de depender das opiniões e avaliações dos outros. O resultado é que as crianças concluem se seus atos são realmente merecedores de sua própria aprovação. Afinal de contas, para se tornarem auto-orientadas, as crianças têm de descobrir sua grandeza por conta própria.

ELOGIE seus filhos de uma forma que evoque à introspecção e a aprovação interior, como: "Você deve estar orgulhoso de si". Repetindo: essa abordagem instrui as crianças no sentido de se avaliarem refletindo sobre seus atos. Em conseqüência, elas passam a ter uma boa idéia de suas capacidades e realizações, o que, por sua vez, ajuda-as a definir melhor sua identidade.

PERMITA que seus filhos ouçam um elogio indireto. Fazendo de conta que não sabe que seu filho está ouvindo, diga algo como: "Erik é que sabe mexer com isso; vamos perguntar a ele o que fazer" ou "Você já notou como a Michelle está bem educada ultimamente?". Esse tipo de elogio tem um poder enorme porque a criança considera sua avaliação sincera e completamente destituída de qualquer interesse velado. Eu acho que ouvir um elogio indireto é uma das duas formas mais importantes que os pais têm para criar filhos auto-orientados. A outra é pedir sinceramente a sua ajuda.

USE formas de elogiar sem palavras, como acenos de cabeça, piscadelas, sinal de positivo, sorrisos e tapinhas no ombro. Quando os pais usam gestos em vez de palavras, o elogio parece ir mais fundo, porque parece mais genuíno e, por isso, tem mais credibilidade. Também motiva nossos filhos a refletirem sobre seus atos meritórios.

NÃO USE elogios excessivos e indiscriminados. Quando submetidos a esses elogios exagerados ano após ano, nossos filhos não aprendem a se julgar de forma realista. Aprendem a impotência, porque as capacidades e talentos que ouvem dizer que têm em geral são fictícios ou supervalorizados. Quando essas crianças entram no mundo real, tornam-se dolorosamente conscientes de que não são tão maravilhosas assim em certas áreas quanto acreditavam ser. Na verdade, essa falsa percepção de grandeza (uma influência externa perniciosa) pode realmente tolher sua motivação para melhorar nessas áreas.

Essa consciência cria o oposto da intenção daqueles elogios – auto-estima baixa. Já vi muito esse tipo de promoção da auto-estima em escolas de ensino fundamental. Há muita ênfase no fortalecimento externo da auto-imagem e autoconfiança das crianças. O elogio, que costuma ser de natureza genérica, é dado profusamente às crianças em forma de adesivos, comentários dos professores, etc. Excessivamente confiantes, elas vão para a quinta série, fase em que a verdadeira natureza de suas capacidades é revelada. É um rude despertar para qualquer criança de onze anos.

NÃO FAÇA elogios evidentemente exagerados ou insinceros. As crianças captam a falta de sinceridade, a qual não faz nada para incentivar o diálogo interior saudável. Uma entrevistada disse: "Detesto o jeito com que alguns adultos falam com crianças pequenas, eles exageram nessa coisa de elogiar e tratam a criança como um bebê. Tratam as crianças como se fossem burras, ou algo assim".

Em resumo, o elogio sempre deve motivar as crianças a avaliarem internamente o seu comportamento, em vez de dependerem das avaliações dos outros. As crianças elogiadas de uma forma que promove a orientação interna confiam em sua capacidade de raciocínio para examinar suas opções, as conseqüências que elas trazem e as decisões que devem fazer no futuro. Essas são as qualidades do ser auto-orientado – qualidades pelas quais todos devemos lutar, não apenas em relação a nossos filhos, mas também em relação a nós.

E quanto às recompensas das boas escolhas feitas por nossos filhos? Sou contra qualquer sistema de recompensa que tenha o objetivo de incentivar nossos filhos a fazer o que queremos que eles façam. As recompensas são apenas influências externas que atrapalham nossos filhos no processo de usar o diálogo interno para fazer opções. Por exemplo: as crianças devem estar dispostas a fazer suas tarefas domésticas sem receber pagamento por isso, porque é razoável esperar que elas contribuam nas obrigações diárias da vida familiar. Afinal de contas, também são membros dessa família. Dinheiro em pagamento pelas tarefas domésticas é apenas mais uma influência externa. Por outro lado, acredito que as crianças devem receber uma mesada de acordo com sua idade, mas por uma razão diferente. A família ganha uma certa quantidade de dinheiro com o passar do tempo e, sendo membros dessa família, nossos filhos devem desfrutar de uma parte desse sucesso financeiro. Quanto aos deveres de casa, recompensar as crianças por boas notas dá a elas a impressão de que as notas é que são o objetivo, e não o saber que podem obter com seus estudos. As notas são uma influência externa. As crianças devem dar o melhor de si na escola porque aprender é vital para seu crescimento e bem-estar, e porque é pessoalmente gratificante.

Também discordo de recompensar as crianças por se comportarem bem.

Vamos falar disso mais tarde no capítulo sobre disciplina. No entanto, devem assumir as conseqüências negativas de seu mau comportamento, assim como as positivas por seu bom comportamento. Se você tiver tempo e paciência, seria bom fazer um gráfico de comportamento com certas metas para as crianças atingirem, mas só para ajudá-las a acompanhar o próprio progresso. E não deve haver recompensas por alcançar as metas, exceto a satisfação de se comportar de acordo com seu próprio código moral. Há dois tipos aceitáveis de recompensas que podemos dar a nossos filhos. Uma é dizer palavras de incentivo quando estão no rumo certo. Por exemplo: se Tommy põe o lixo para fora sem ter de ser lembrado, você pode dizer algo como: "Puxa, você deve estar crescendo! Já notou que não tive de lembrá-lo nem uma vez para levar o lixo lá para fora? Já me ajuda muito!". Observações como essas estimulam as crianças a avaliar seus atos internamente. A segunda é na forma de conseqüências natural ou logicamente positivas. Por exemplo: se Brianna termina logo os deveres de casa, vai ter mais tempo para brincar com suas amigas. Ela também é encorajada a refletir sobre seus atos com um diálogo interno como esse: "Uau! *Fiz* os meus deveres em tempo recorde e agora posso brincar muito, muito mais. Vou tentar fazer isso *todo* dia!". Outros tipos de recompensa são apenas subornos, e subornos são fatores externos que levam nossos filhos a se tornarem marionetes inconscientes, manipuladas externamente.

Como impedir o diálogo interno pernicioso

Só existe uma coisa pior do que depender de influências externas para tomar decisões: é envolver-se naqueles processos de enganar a si mesmo, de autodesvalorização e daquela trinca do mal: desculpas, justificativas e racionalizações. E por que as pessoas adotam esses comportamentos derrotistas? Às vezes acham a verdade dura demais. Às vezes têm medo de repreendas ou de passar vergonha. Seja como for, tudo gira em torno da perda da aprovação. Quando revelam uma parte de si da qual não estão exatamente orgulhosas, pensam que não serão amadas. Quando descobrem algo sobre si mesmas de que não gostam particularmente, pensam que não vão conseguir amar a si mesmas. Se não amam a si mesmas, por que uma outra pessoa deveria amá-las?

Sempre há formas de manter nossos filhos no caminho mais saudável de falar a verdade para si mesmos.

Como ajudar os filhos a enfrentar o diálogo interno pernicioso

Muitas vezes fechamos os olhos quando nossos filhos dão desculpas ou enganam a si mesmos. Não queremos pensar que eles têm defeitos, não queremos ferir seus sentimentos, não queremos ser lembrados de nossas próprias falhas, ou não queremos nos aborrecer com o fato de pormos as cartas na mesa. Mas sempre é para o bem deles fazer com que saibam o que está se passando realmente. Eis alguns exemplos:

Danny: "A professora passou uma quantidade enorme de deveres de casa. Aquela horrorosa! Não vou fazer nada!" (enganar a si mesmo)
Mãe: "A sra. Wilson diz que o Hal tem de estudar para a prova de sociologia amanhã. Eu sei que vocês estão na mesma classe. E sei da dificuldade que você tem com essa matéria. É esse o problema?"
Danny: "É, acho que é. Fiquei tão mal depois que tirei uma nota baixíssima na última prova! Talvez você possa dizer que fiquei doente e eu não vou para a aula, só dessa vez. Aí eu teria um pouco mais de tempo para estudar."

Mãe: "Espera aí, eu também já tive dificuldade em Sociologia. Cabe a você decidir o que fazer. Você sabe quais são as conseqüências de estudar e sabe quais são as conseqüências de não estudar. Pode muito bem resolver por conta própria. De minha parte, não tenho a menor intenção de mentir por sua causa. Só quero que você saiba que não vai conseguir jogar areia nos meus olhos, e eu também não vou deixar você se enganar. O que acha de eu ajudá-lo nas partes mais difíceis?"
Danny: "É, você poderia me fazer as perguntas que estão no fim de cada capítulo!"

Mais um exemplo:

Debbie: "Não vou mais ser amiga da Jessica. Ela é insuportável!" (enganar a si mesma)
Pai: "Vocês duas pareciam irmãs siamesas no último fim de semana. O que foi que aconteceu com vocês?"
Debbie: "Fiquei louca da vida com ela. Foi contar à Jannika que eu não ia convidá-la para a minha festa de aniversário!"
Pai: "E é verdade?"
Debbie: "Bem, sim, mas ela não tinha de ir lá me entregar. Seja como for, não podemos mais ser amigas, porque ela nem está mais na minha classe." (justificativa)
Pai: "Sarah também não está mais na mesma classe que você e é sua amiga há anos. Eu só queria saber se não seria melhor você ser honesta consigo mesma e também comigo. Assim, talvez possamos descobrir juntos como resolver essa encrenca."
Debbie: "Acho que você tem razão. Preciso conversar sobre isso com a Jessica hoje à noite. O que você acha que eu digo pra ela?"

Portanto, ao perceber que seus filhos não estão sendo honestos consigo mesmos ou com outras pessoas, o primeiro passo é tentar puxá-los para fora do buraco no qual estão enterrados e ajudá-los a travar um diálogo interno mais saudável.

Como ajudar nossos filhos a se recuperar dos efeitos de enfrentar a verdade

Depois de enfrentar a necessidade de se enganar e de ajudar nossos filhos a enfrentarem a verdade, precisamos ajudá-los a superar o sofrimento envolvido, seja ele qual for:

"Sei que foi difícil falar desse problema. Foi preciso um bocado de coragem."

"É duro enfrentar o que você fez de errado. Você está amadurecendo."

"Estou satisfeito por você ter deixado tudo em pratos limpos comigo. Gosto de sentir que posso confiar no que você tem a dizer."

Mesmo que seja complicado lidar com alguns dos problemas dos quais eles estão fugindo, principalmente quando esses problemas dizem respeito a nós, precisamos fazer o possível para deixar nossos filhos à vontade com a verdade, não fazendo comentários que evoquem sentimentos de culpa, vergonha, constrangimento ou raiva. Esses comentários incluem reprimendas, insultos, ameaças, ultimatos e castigos ilógicos ou severos.

Como ajudar nossos filhos a encontrar soluções através do diálogo interno honesto e saudável

Depois que eles se recuperarem do fato de terem enfrentado a verdade, está na hora de passar a procurar uma solução para o conflito. As oito estratégias apresentadas na primeira parte deste capítulo funcionam bem, porque transformam o diálogo interno desonesto num diálogo mais franco e aberto. Se o problema for sério ou complexo, ou se a criança já tiver idade suficiente para passar por processos mentais mais avançados, os ensaios de peça de teatro, a lista dos prós e contras e a lista de conseqüências provavelmente são as melhores opções.

O desenvolvimento de nossa própria honestidade

Se quisermos que nossos filhos cultivem um diálogo interior que seja honesto e verdadeiro, isso significa que devemos fazer o mesmo. Se escorregarmos, e apresentarmos desculpas ou justificativas para uma escolha desastrada, devemos expor nosso erro em voz alta com nossos filhos por testemunha. E pode ser uma boa idéia considerar a honestidade como parte da identidade da família: "Nós da família Smith somos honestos conosco mesmos" ou "Em nossa família, não acreditamos que seja bom ficar dando desculpas".

Depois que nossos filhos adquirirem competência na comunicação de mão dupla com suas vozinhas interiores, a influência dos fatores externos começa a se atrofiar. Com o tempo, nossos filhos tornam-se auto-suficientes e ficam cada vez mais fortes. Passam a acreditar em si mesmos acima de tudo o mais.

3
Como ajudar as crianças a desenvolver a intuição natural

A intuição é prova de que a alma é maior do que pensamos.
Anônimo

Adoro a forma pela qual a psicoterapeuta Belleruth Naparsteck define intuição:

O saber intuitivo traz informações pelos canais sensoriais comuns que, segundo dizem, não devíamos estar recebendo, porque se trata de alguém ou algo que não é a gente. É como se nossos limites pessoais se ampliassem por um território maior que aquele definido por nossa pele, de modo que conseguimos obter dados do meio ambiente como se fossem a nosso respeito.

Por que a intuição é tão importante para a auto-orientação? Porque é melhor procurar soluções em sua própria alma do que em influências externas que podem não compreender sua situação pessoal.

A intuição das crianças é particularmente aguçada, mas, como elas expressam seus sentimentos intuitivos sem reservas, nós muitas vezes as censuramos por seu "excesso de imaginação". Porém esse sexto sentido é um dom que ajuda as crianças a evitar problemas e a fazer as opções certas. É uma comunicação direta com sua própria alma. Quando sabotamos sua confiança naquela vozinha interior, abrimos as portas para elas saírem em busca de vozes externas que as orientem.

Como promover o uso da intuição

Podemos dizer coisas como: "Estou com um palpite de que a tia Sally precisa de uma visita nossa. Vamos vê-la depois da missa de domingo?". Se o palpite estiver certo, podemos fazer com que elas saibam o quanto ficamos satisfeitos por termos "ouvido o coração".

Incentivar a confiança nas suas intuições

Se eles acharem que não devem ir dormir na casa de um amigo porque estão com um mau pressentimento, podemos aceitar sua opção em vez de lhes dizer que não se preocupem, que tudo vai dar certo. Também podemos incentivá-los a ignorar observações dos outros que subestimam ou ridicularizam essa faculdade extraordinária.

Ao lidar com questões morais, peço a meus filhos para terem em mente o seguinte lema: *"Se tiver a impressão de que é errado, não faça."* Decisões morais erradas sempre se fazem acompanhar de uma sensação de mal-estar que eles precisam deixar chegar à consciência e dar-lhe ouvidos.

Fortalecer suas faculdades intuitivas

Podemos ensinar nossos filhos a usar a intuição conscientemente. Suponha que Caroline não consiga decidir sobre qual de dois livros fazer um resumo. Podemos lhe pedir para fechar os olhos e visualizar, ou imaginar, que está fazendo a apresentação de um deles, e depois do outro. Ela provavelmente vai ter uma sensação melhor em relação a um deles. Quando ela toma uma decisão usando a intuição como um instrumento auxiliar, vai acertar mais do que errar e vai aprender, com esses acertos, a confiar em sua voz interior.

Peço freqüentemente a meus filhos que procurem entrar em contato com sua intuição por meio das seguintes técnicas:

• Para resolver problemas na base do sim ou não, peço-lhes para fechar os olhos e visualizar uma bola. Depois peço-lhes para fazer a pergunta. Se a bola subir, a resposta é sim; se a bola cair, a resposta é não.

• Para questões de múltipla escolha, peço-lhes para me dizer qual é a primeira opção que lhes vem à cabeça quando eu bater palmas. Depois faço a pergunta e conto 1, 2, 3, 4, 5; aí BATO PALMAS. Seja qual for a primeira imagem que lhes vem à cabeça, ela é chamada de *flash* e é, provavelmente, a resposta que sua intuição está sugerindo.

Se a questão requer uma resposta mais complexa, peço-lhes para se deitar de costas e fechar os olhos. Depois peço-lhes para fazer algumas respirações lentas, profundas. Descrevo um ambiente cheio de paz no qual se encontram naquele momento, como uma linda praia ou um campo florido. Depois que estão relaxados, peço-lhes para descer, mentalmente, um pequeno lance de escadas que leva a um longo corredor. De ambos os lados do corredor há numerosas portas fechadas. Atrás de cada uma dessas portas está uma resposta apropriada à sua questão. Peço-lhes para escolher uma porta e depois abri-la. Depois de fazer isso, peço-lhes para descrever as imagens que vêem.

Às vezes é preciso paciência para fazer tudo isso, mas o importante é que eles recebem a mensagem de que a intuição é real, poderosa e útil.

Brincadeiras com a intuição

As brincadeiras com a intuição podem ser uma grande diversão na família. Adoramos usar cartões coloridos e nos alternar na adivinhação das cores de cada um. No começo, nossos pontos não iam além de 50% de acertos; mas, acredite se quiser, melhoraram com a prática. Fazemos a mesma coisa com a cotação da bolsa, com a cor do chapéu do *chef* do restaurante, a hora que o correio vai passar, etc.

Um diário da intuição

Um diário da intuição ajuda as crianças a selecionar e interpretar as impressões intuitivas. Se souberem que devem anotar essas impressões, vão tender a prestar mais atenção a todo sinalzinho que lhes passar pela cabeça. E, com o ato de anotar suas intuições, elas se concentram automaticamente nos detalhes, como textura, cheiro, cor e sentimentos complexos. No fim do dia ou da semana, podem ver quantos palpites se materializaram. Com o tempo, as crianças aprendem a descobrir padrões nos sinais intuitivos segundo a hora do dia, o lugar onde estão, o que comeram, qual era o seu estado emocional, etc. Se mantiverem religiosamente esse diário, em pouco tempo vão ficar mais hábeis para descobrir quais sinais parecem certos e quais são apenas alarmes falsos.

Receber os sinais intuitivos com mais clareza

A meditação é uma forma excelente de ajudar as crianças a ouvir sua voz interior. Um método simples pode ser empregado pela família inteira. Peço a meus filhos para ficar numa posição confortável, fechar os olhos e se tornar um espectador passivo dos próprios pensamentos e impressões. Quando as imagens passam rapidamente pela sua consciência, peço-lhes para só observá-las. Não devem tentar alterar essas impressões com classificações, interpretações, elaborações, previsões, escolhas, rótulos ou definições. Depois de algum tempo, as crianças adquirem habilidade em receber sinais intuitivos sem distorções – possibilitando que sua faculdade intuitiva chegue às alturas e que sua auto-orientação se enraíze de forma mais profunda e verdadeira.

Ensinar as crianças a desenvolver, confiar e contar com sua intuição é um passo importante para fortalecer sua orientação interior. Com essa comunicação interna aguçada, sua tendência em fazer escolhas com base nas reações das influências externas diminui. Quanto mais nítido o foco interno de nossos filhos, tanto mais forte se torna o seu espírito.

4
O ensino da empatia

Aquele que deseja assegurar o bem dos outros já assegurou o seu próprio bem.
Confúcio

Empatia e "egoísmo benevolente" são duas características gêmeas que constituem o âmago dos auto-orientados. A empatia é a "vivência indireta dos pensamentos, sentimentos e atitudes de outra pessoa". Para as crianças auto-orientadas responderem – em vez de reagirem – às influências externas, precisam ser capazes de compreendê-las plenamente, ou ter empatia por elas.

O egoísmo, segundo a definição convencional, é "preocupar-se antes de tudo com os próprios interesses". Soa mal, não? Mas o verdadeiro egoísmo é, na verdade, uma característica maravilhosa, porque, para respeitar os próprios interesses é necessário ser moral. Por exemplo: se o nosso filho fura a fila para pegar a água da fonte, pode matar a sede antes, mas comprometeu sua integridade. Agora suponha que um homem faça uma doação para uma instituição de caridade. Seus motivos podem derivar de um "egoísmo bom", porque a doação faz com que se sinta bem consigo mesmo. Mas também podem derivar de um "egoísmo ruim". Ele pode ter feito a doação para que os membros da comunidade o respeitem mais. Mas isso não é egoísmo. É ganância. Será que vai fazê-lo se sentir bem interiormente? Que nada! Será que os outros vão respeitá-lo mais? Duvido. Será que evitou manchar seu caráter? De jeito nenhum.

Quando as crianças auto-orientadas têm um alto grau de empatia, examinam o infortúnio dos outros até chegarem a uma compreensão mais profunda da situação daquela pessoa. Depois de fazer isso, vão responder com o "egoísmo benevolente". Vamos voltar à fila da água da fonte. Se uma criança auto-orientada foi uma daquelas postas de lado, pode pensar: "Sei muito bem onde isso vai dar. Todos na fila vão ficar com raiva dele e criticá-lo. Sei como *eu* me sentiria se os meus amigos ficassem com raiva de mim". (Empatia.) "Não posso deixar o Sammy fazer isso. Sinto como se estivesse deixando um amigo na mão. Vou chamá-lo de lado e conversar com ele. Se ele perder amigos, vou me sentir mal comigo mesmo o dia inteiro." (Egoísmo benevolente.) Você está vendo que cuidar dos próprios sentimentos beneficia todos os envolvidos numa determinada situação? Se essa criança tivesse reagido, em vez de responder, poderia ter dito alguns palavrões ou ajudado a fazer as outras se voltarem contra Sammy. Numa situação dessas, todos só têm a perder.

Onde entra o altruísmo no conceito do egoísmo benevolente? Não há momentos em que temos de nos sacrificar pelos outros? Não. Suponha que sou uma jovem mãe solteira com três filhos com menos de seis anos. Devo atribuir menos importância à minha profissão, ou adiar o seu exercício para cuidar deles? Com toda a certeza! Amo-os tão profundamente que quero evitar a dor que sinto ao vê-los sofrer. Mas, à medida que vão ficando maiores, será que devo trabalhar oito horas por dia só para cada um deles ter o seu aparelho de TV no quarto? Não, porque fazer-lhes todas as vontades não é bom para eles. Quando eles estão terminando o colegial, será que devo trabalhar em dois ou três empregos para lhes pagar a faculdade? Claro que não! Não, se eles podem conseguir descontos ou bolsas. Devo pedir empréstimos para eles comprarem seu primeiro carro ou casa? Óbvio que não! Por que haveria de lhes negar a satisfação de conquistar as coisas com seu próprio esforço? Eu provavelmente acabaria com mais ressentimento do que amor. Portanto, sacrificar-se para evitar um sofrimento nosso é nobre. Mas sacrificar-se por causa da imagem ou para estar à altura de um senso de dever distorcido é cruel, tanto para nós quanto para aqueles que pretendemos ajudar.

Eis aqui oito passos para ajudar as crianças a desenvolver a empatia e o egoísmo benevolente.

1. Ensinar como funciona o "egoísmo benevolente"

Quando as crianças já têm idade suficiente, podemos explicar a diferença entre a pessoa egoísta e a pessoa hipócrita ou gananciosa. Ensine-os o lema a seguir: "Se lá dentro você tiver a impressão de que está errado, não é bom para ninguém", pois pode ajudá-los a manter suas motivações sinceras e puras. Podemos ajudá-los a compreender melhor essa distinção conversando sobre nossos atos "egoístas", o que nos motiva a realizá-los, que esses atos *não* prejudicam os outros e que os benefícios destinados a nós mesmos espalham-se entre os que nos cercam. Também podemos ajudá-los a analisar as motivações que estão por trás de seus próprios atos em relação aos outros. Será que essas motivações lhes permitem manter sua moral intacta? Será que seus atos são realmente bons para eles a longo prazo? Será que seus atos ajudam os outros, em vez de prejudicá-los? Algum motivo secreto poderia estar envolvido, um motivo que torna seus atos menos angelicais do que parecem?

2. A "trinca da empatia"

Podemos ajudar as crianças a ter uma compreensão mais profunda dos outros se ensinarmos a elas a atribuir níveis da trinca da empatia às pessoas com quem estão em conflito. A trinca é composta de felicidade, força interior e perspectiva naquele dado momento. Suponha que Sarah tenha um problema com uma amiga (Megan), que fica enciumada toda vez que Sarah arranja um novo amigo. Se os pais de Sarah a ensinaram a usar a trinca da empatia, eis aqui o que ela faria: primeiro, compararia o nível de felicidade de Megan ao seu. Com toda a certeza, Megan não pode estar feliz naquele momento específico se está enfrentando a perspectiva de dividir a amiga! Depois ela atribuiria níveis de força interior. Megan, nessa circunstância particular, mostra uma insegurança que prova que ela tem menos força interior do que Sarah. Finalmente, Sarah compararia as perspectivas tanto para Megan quanto para ela. Megan está se colocando na situação precária de perder uma amiga. Não era exatamente o que ela estava tentando evitar? E, se a amizade entrar em colapso, ela vai se sentir muito mal durante algum tempo. Sarah, por outro lado, está numa posição de força, porque sabe que ninguém tem o direito de lhe negar uma nova amizade. Por conseguinte, temos a trinca de níveis mostrada abaixo.

Nível de felicidade

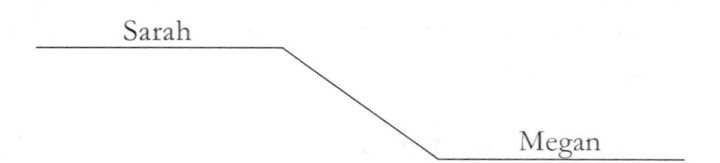

```
_____ Sarah
            \
             _____ Megan
```

Nível de força interior

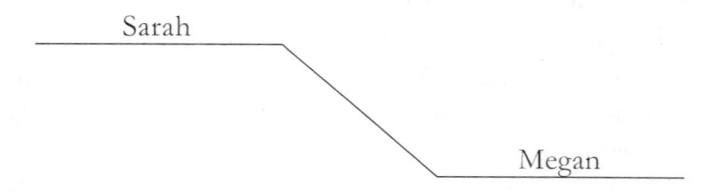

```
_____ Sarah
            \
             _____ Megan
```

Nível da perspectiva naquela situação

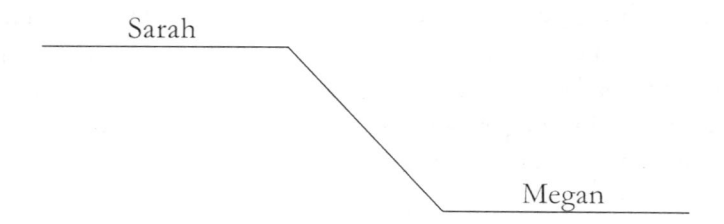

```
_____ Sarah
            \
             _____ Megan
```

3. Desenvolver a empatia prestando serviços

Ao proporcionar algum alívio a alguém que está sofrendo, as crianças podem chegar a entender a profundidade desse sofrimento. Por exemplo: podem dar cobertas ou chá quente a moradores de rua num dia particularmente frio de inverno. Ou talvez ajudem uma vizinha que enviuvou recentemente passando o cortador de grama em seu jardim e levando suas latas de lixo para fora. Ao realizar esses atos de compaixão, nossos filhos não têm como evitar pensar na infelicidade daqueles a quem ajudam. Quando ajudam alguém, eles com certeza pensam no que seria estar na pele dessa pessoa. À medida que as crianças vão ficando maiores, podemos tentar incentivá-las a encontrar seu nicho especial no que diz respeito à prestação de serviços à comunidade.

Também podemos ajudá-las a serem caridosas e terem compaixão por seus amigos e familiares. Se um membro de seu time dá uma bola fora no último turno e perde o jogo, talvez um sorriso ou um tapinha nas costas sejam o suficiente para levantar seu astral. Quando um irmão está chorando por ter perdido o resumo de um livro, a criança pode se oferecer para ajudar a procurar. Quer na escola, quer na família, quer na comunidade, prestar serviços mostra a nossos filhos o que é o sofrimento, e isso, por sua vez, ensina a empatia.

Repetindo: quando nossos filhos ajudam outras pessoas, é importante verificar se suas motivações são puras e éticas. Uma das formas mais eficientes para garantir a sinceridade das ações é o anonimato. Quando prestam serviço anonimamente, é impossível alimentar sentimentos como ganância, hipocrisia, melhoria da imagem ou outras formas de lucros indiretos. Com a prestação de serviços anônimos, não há dúvida de que suas motivações são sentir-se bem interiormente e, portanto, elevar a alma.

4. Usar o diálogo interno para desenvolver a empatia

Como pais, há várias maneiras de tentar mostrar a nossos filhos como aperfeiçoar o diálogo interno. Seguem-se alguns exemplos:
• Quando nossos filhos estão diante de pessoas de quem não gostam ou com quem tiveram um desentendimento, incentive-os a tentar encontrar algo de bom, por mínimo ou mais trivial que seja, nessa pessoa. Se estiverem com raiva demais para não perceber nada além de "as meias

dele não estão cheirando tão mal hoje quanto ontem", é bom dar-lhes algumas sugestões.

• Se mesmo assim não conseguirem ver nada de bom nessa pessoa, peça-lhes para fechar os olhos e imaginá-la como um lindo bebezinho recém-nascido, ou então que ela está muito doente ou triste.

• Nada ainda? Peça-lhes para ver seus inimigos como crianças com seus próprios problemas. Todos têm algum tipo de dificuldade. Lembre-os de que nem aqueles que desprezam são exceção. Como disse muito bem Mary Wollstonecraft Shelley, "Ninguém escolhe conscientemente o mal pelo mal; só o confunde com a felicidade que procura".

• Peça às crianças para se colocarem mentalmente na pele de seu adversário.

• Quando estamos com raiva de alguém, muitas vezes nos equivocamos a respeito de suas motivações, supondo que essa pessoa fez algo intencionalmente para nos ferir. Mas, em geral, seu comportamento tem menos a ver conosco do que pensamos. Por exemplo: suponha que Thomas está brincando na casa de Jeff e, de repente, anuncia: "Estou achando tudo chato. Quero ir para casa". Thomas está dizendo que ele é um chato. Portanto, ele reage com "Ótimo, vá em frente, você não é mais meu amigo. Não vou convidá-lo nunca mais!". Mas, se Jeff tivesse parado um minuto para pensar no que aquilo significava, poderia ter perguntado a Thomas "Por que quer ir para casa agora?". Poderia descobrir que Thomas está com saudade de casa, com fome ou cansado. Podemos ensinar nossos filhos a fazer perguntas para entenderem melhor o comportamento que os aborrece ou irrita. Com o saber vem a compreensão, claro. E, com a compreensão, vem a verdadeira empatia.

• Peça às crianças para olharem para trás em busca de experiências anteriores, quando os papéis estavam invertidos. Por exemplo: no caso acima, será que Jeff nunca teve vontade de ir para casa quando estava brincando na casa de um amiguinho? Ficou com vergonha de admitir que estava com saudades de casa ou que não estava se sentindo bem?

• Diga em voz alta seu próprio diálogo interior empático. Por exemplo: "O papai parece muito cansado quando volta para casa depois do trabalho. Aposto que se sentiria muito melhor se alguém lhe trouxesse os chinelos e o jornal". Afinal de contas, podemos ajudar nossos filhos a ver o poder que sua empatia tem: "Você viu como o papai ficou feliz por alguém ter se dado ao trabalho de pensar nele? Com certeza se sente amado agora".

O efeito de toda essa conversa interior é poderoso. Orienta nossos filhos no sentido de compreender, em vez de acusar, e de usar a razão para superar reações negativas, como ficar na defensiva, com os sentimentos feridos, e fazer juízos de valor negativos.

5. Desenvolver a empatia brincando de teatro

Sempre que as crianças têm dificuldade de ter empatia por alguém, brincar de teatro pode fazer milagres. Suponha que Shelley fica com raiva toda vez que sua amiga Jill convida Eliza para dormir em casa. Eis o que a mãe de Jill poderia lhe dizer para ajudá-la a sentir empatia por Shelley:

Mãe de Jill: "Parece que as coisas não estão muito bem entre Shelley e você."

Jill: "Ah, ela é a pessoa mais irritante do mundo. Fica morrendo de raiva toda vez que eu convido a Eliza para dormir aqui em casa!"

Mãe de Jill: "Escuta, talvez fosse bom a gente fazer uma brincadeira. Posso fazer de conta que sou você e você pode fazer de conta que é a Shelley. Talvez assim a gente possa descobrir uma forma de resolver essa situação."

Jill: "Não sei do que você está falando, mas tudo bem. Vou tentar."

Mãe de Jill: "O.k., então vamos começar. Você primeiro!"

Jill no papel de Shelley: "Ouvi dizer que você convidou a Eliza para dormir na sua casa. Como é que você agüenta essa menina? Quer dizer, ela é tão grossa com todo o mundo. Você sabe que ela falou para a escola inteira que você não tem a menor chance de entrar na equipe de natação este ano."

Mãe de Jill no papel de Jill: "Parece que você está com raiva por eu ter convidado a Eliza. Está com medo de que isso signifique que nós não vamos mais ser tão amigas quanto antes?"

Jill no papel de Shelley: "Bem, talvez eu ache. Parece que você fica mais tempo com ela do que comigo."

Mãe de Jill no papel de Jill: "Entendo que você sinta isso. Acho que a tenho convidado muitas vezes porque acabamos de nos tornar amigas e estamos tentando nos conhecer melhor. Mas você sempre vai ser uma das minhas melhores amigas. Você e eu estamos juntas desde a primeira série!"

Jill no papel de Shelley: "Eu gostaria de ter certeza disso."

Mãe de Jill no papel de Jill: "Então me diga, por que não vem acampar comigo e com minha família no próximo fim de semana? Não sei por que você não pode ficar comigo e com Eliza hoje. Que tal andarmos de patim todas juntas depois da escola?"
Jill no papel de Shelley: "Está bem. Acho ótimo! Desculpe ter falado tão mal da Eliza."

Está vendo que o principal objetivo foi alcançado? Jill primeiro tentou compreender os verdadeiros motivos de Shelley, em vez de supor que eram os piores possíveis e acusá-la por isso.

6. Usar mensagens com o pronome "eu"

Quando usamos mensagens com o pronome eu, enviamos um sinal claro em alto e bom som: "Compreenda o que estou sentindo agora, por favor!". Espero que esse processo desencadeie uma cascata de diálogos internos que faça as crianças pensarem no que estamos passando e no que devem fazer para melhorar a situação. Considere este exemplo:

Pai: "Ei, Tim, você se esqueceu de juntar as folhas secas depois de cortar a grama ontem."
Tim: "E daí? O Bob me convidou para ir ao cinema. Você não acha que eu ia perder um programa desses!"
Pai: "Só que eu mesmo tive que fazer o serviço antes que o caminhão do lixo chegasse. Fiquei com raiva, porque levou tanto tempo que não consegui me encontrar com meu amigo Henry e jogar golfe com ele este sábado."
Tim: "Opa, desculpa, acho que vou tentar pensar nisso da próxima vez. Talvez eu possa ajudá-lo a terminar de pintar a garagem hoje, para que vocês possam jogar golfe amanhã, então."
Pai: "Obrigado, é muita consideração de sua parte. Faz-me sentir melhor saber que você se importa com o que eu sinto. Vou ligar para o Henry e ver se ele pode reservar um tempinho para o jogo."

Nesse exemplo, as mensagens com o pronome eu conseguiram ajudar Tim a perceber como se sentiria se estivesse no lugar de seu pai (empatia) e, quando entendeu os inconvenientes que causou, Tim fez a coisa certa para se sentir melhor (egoísmo benevolente), encontrando uma forma de compensação.

7. Expressar sua empatia

Fazer o seu diálogo interior em voz alta é uma forma excelente de expressar a empatia diante de seus filhos. Suponha que a tia Emma pegou um resfriado. Você pode conversar alto consigo mesma para mostrar às crianças que você sente empatia pelo problema dela, para mostrar o que gostaria de fazer a respeito e por quê. "Coitada da tia Emma, está com um resfriado horrível! E ela sempre faz tortas para o jogo de bingo da igreja nas sextas-feiras... Acho que ela vai se sentir mal por não conseguir fazê-las dessa vez, e é isso o que me corta o coração. Por Deus, vou assar as tortas no lugar dela agora mesmo. Alguém quer me ajudar?" E quando alguém te chateia: "Aquela atendente do mercadinho foi tão grossa comigo hoje. Geralmente ela é tão gentil! Queria saber se aconteceu algo de errado. Aposto que está com dor nos pés. Da próxima vez, vou ser mais atenciosa com ela. Posso até dar uma flor de nosso jardim pra ela".

Depois podemos lhes mostrar como agir em função de nossa empatia. Nossos atos falam mais alto que mil palavras. Repetindo: atos anônimos são as lições mais inesquecíveis.

8. Não criticar os infelizes

Não sei se é cultural ou instintivo, mas os seres humanos em geral atormentam os fracos ou feridos. Pode ser um sujeito esquisito na multidão, um idoso dirigindo a vinte quilômetros por hora na via expressa, alguém gaguejando durante uma entrevista no noticiário das 6 Shoras ou um amigo obeso. Criticar as imperfeições das pessoas transmite a nossos filhos a mensagem de que os defeitos dos outros são intencionais e todo o mundo os têm, menos nós. Eles aprendem a censurar os outros por não corrigir esses defeitos, mesmo quando não é possível fazer nada a respeito, e a reagir negativamente a pessoas imperfeitas, em vez de responder a elas com empatia e compreensão.

Quando nos esforçamos para criar filhos com atitudes de empatia perante os outros, eles desenvolvem uma força interior que vai protegê-los contra as influências externas que os afastam das opções certas. Considere a empatia uma vacina contra a orientação externa.

5
Disciplinar para promover a orientação interna

> *Respeite a criança. Não seja pai ou mãe demais.*
> *Não invada a sua solidão.*
> Ralph Waldo Emerson

Os doze pré-requisitos básicos da disciplina auto-orientada

Nossos filhos podem vir ao mundo como um milagre da perfeição, mas, mesmo assim, temos de ensiná-los a conviver com os outros. Para ensinar-lhes as regras do comportamento civilizado de uma forma que não os transforme em crianças orientadas pelo exterior, nem lhes quebre o espírito, precisamos lembrar que nossa tarefa é guiá-los como mentores, não controlá-los como ditadores. Nossa disciplina deve refletir a natureza desse papel.

Se eu tivesse de resumir o principal objetivo desse tipo de disciplina, seria o seguinte: nossa forma de disciplinar deve motivar as crianças a aceitar regras de comportamento claras e razoáveis, e elas devem concordar com essas regras só depois de tê-las analisado através de seu diálogo interno. Esse diálogo interno deve ajudá-las a concluir que vão se comportar de uma certa maneira porque é a opção certa para elas, não por quererem evitar o castigo. Portanto, podemos tentar usar técnicas de disciplina que vão levá-las a raciocinar a fim de examinar suas opções de comportamento e pesar todas as conseqüências potenciais que essas opções podem gerar. Mas, primeiro, precisamos esclarecer as diferenças entre castigo e disciplina. O castigo é uma forma de controlar as crianças num nível pessoal ou subjetivo. Como está manchado pela desaprovação, ataca a auto-estima de nossos filhos, em vez de se dirigir a seu comportamento, levando-as a desconfiar de seu diálogo interno e, por isso, a reagir aos estímulos externos. A disciplina, por outro lado, é mais objetiva e não é degradante. Sua meta é guiar e ensinar, e não controlar. Como a disciplina não afeta nossos filhos num nível pessoal, não solapa sua auto-estima e permite-lhes observar internamente seu comportamento.

É freqüente os pais castigarem os filhos quando estão com raiva ou frustrados, às vezes quando estão estressados por eventos que não têm nada que ver com as crianças. Em outros momentos, o castigo acontece quando acham que o comportamento de seu filho está ligeiramente contra eles. Por essas razões, o castigo costuma ser ilógico, condenatório e raramente é adequado ao crime. Por outro lado, a disciplina é lógica, não é condenatória e, em geral, é apropriada ao comportamento que a inspirou.

Vamos considerar alguns exemplos que esclarecem essa diferença. Quando Tommy cola numa prova, bater nele e deixá-lo de castigo no quarto sem jantar é um castigo. Sua mãe e seu pai provavelmente ficaram chocados com o que seus atos fizeram com sua reputação de pais, de modo que levaram a transgressão a nível pessoal. A disciplina, por outro lado, seria fazer Tommy escrever uma confissão completa ao professor, ou ser obrigado a repetir a prova ou a receber uma nota baixa, ou ser obrigado a ficar no quarto até aprender a matéria em questão. A disciplina deve ser dirigida ao comportamento, e não à criança, deve estar de acordo com a transgressão e não deve ser levada a cabo com emoções desagradáveis. O mais importante é que a disciplina deve incentivar nossos filhos a usar sua capacidade de raciocinar, para que possam avaliar, corrigir e evitar seus erros conscientemente.

Neste capítulo vamos discutir primeiro os doze pré-requisitos que são o fundamento de uma estratégia de disciplina que promove a auto-orientação nas crianças e, depois, oito formas específicas de disciplinar as crianças para encorajar a auto-orientação.

1. Regras com as quais as crianças possam concordar

As regras que servem de base para os valores e princípios familiares são uma parte necessária da tática de disciplina, ou sinalizações da estrada que ajudam nossos filhos a se comportarem de uma forma apropriada no mundo. Afinal de contas, não vivem isolados. Precisam aprender a considerar os direitos e sentimentos dos outros, ao mesmo tempo que salvaguardam seus próprios interesses. As regras que devem ser estabelecidas e impostas são *aquelas que evitam que as crianças lesem a si mesmas ou prejudiquem o meio ambiente e os outros*. Simples assim. Todas as outras regras precisam ser discutidas, porque só vão funcionar como influências externas que provam uma reação orientada pelo exterior. Chris, de nove anos, diz: "Quando meus pais são rigorosos, isso não significa que são maus. Só querem que eu siga as regras. Gosto de ter regras, porque preciso de ajuda para ser bom".

As características mais importantes das regras que estabelecemos são a racionalidade e a clareza. Quando nossos filhos não compreendem ou não concordam com o propósito e o significado das regras, não as incorporam a seu processo de raciocínio para concluir se suas opções de comportamento devem ou não seguir essas regras. Suponha que uma família tenha a seguinte regra: "Não usar o telefone quando nem a mamãe e nem o papai estiverem em casa". Talvez os pais tenham essa regra para evitar que os filhos fiquem grudados no telefone em vez de tomar conta dos irmãos menores, mas essa razão nunca foi muito bem explicada. "Escuta aqui, quando digo para não usar o telefone, essa é a lei, não há o que discutir!" Mesmo que as razões sejam explicadas, essa regra mostra falta de confiança nas crianças maiores. Uma postura melhor seria transformar a "regra de não usar o telefone" em conseqüência de os filhos serem negligentes em seus deveres de babá. Nesse caso, logo depois que os pais saírem, o pobre Johnny se lembrará de que prometeu ligar para seu amigo Brian para lhe dizer que páginas estudar para a prova de História. "Puxa vida, prometi a Brian que lhe passaria o número daquelas páginas, mas e aquela regra? É melhor não ligar porque... hummm... bem, porque... por que raios não posso ligar? Ah, certo, agora me lembrei, vou ficar sem falar ao telefone durante um mês." Será que ele obedeceu à regra pelo motivo certo? Não. Obedeceu porque não queria ficar de castigo – clássico raciocínio de orientação externa.

Agora suponha que outra família tenha uma regra como "não usar sapatos dentro de casa". E então Tommy, de oito anos, chega em casa depois de um passeio muito interessante na trilha de volta da escola. O que será que ele vai pensar? Provavelmente algo do gênero: "Puxa vida, olha só para os meus sapatos. A mamãe e o papai não vão querer que a gente use esses sapatos dentro de casa, e agora estou entendendo o porquê! Se eu esquecer, vou fazer uma trilha de lama pelos carpetes novos. E então é provável que a mamãe vá me fazer limpar tudo. Além disso, ela vai ficar uma fera, e é claro que eu não vou querer uma coisa dessas". Tommy compreendeu a regra e descobriu que ela fazia todo o sentido para ele. Usou sua compreensão no diálogo interno para tomar a decisão certa pelo motivo certo.

Para manter essas regras razoáveis e claras, talvez tenhamos que reexaminá-las periodicamente. À medida que nossos filhos crescem e as circunstâncias mudam, o mesmo deve acontecer às regras. Talvez seja o caso de perguntarmos constantemente a nós mesmos se elas ainda são justas, se ainda são necessárias e apropriadas e se ainda refletem os valores e princípios da família. Stephanie, de treze anos, diz o seguinte: "Às vezes, os pais não mudam as regras à medida que a gente vai crescendo e, quando tentamos falar sobre isso, eles não estão dispostos a ouvir ou negociar. É como se 'a lei é essa, pirralho'." Repetindo: nunca vou enfatizar o suficiente o quanto é importante que essas regras e limites tenham relevância e significado constante.

2. Respeito pelos filhos

Quando não somos respeitados pelo outro, não é possível respeitar realmente essa pessoa, pois não nos sentimos compreendidos por ela.

Para preservar o que é de fato extraordinário em nossos filhos, precisamos respeitá-los genuinamente. Eles merecem. E as crianças educadas por pessoas que respeitam seus sentimentos, idéias, opiniões e atos são aquelas que crescem com a capacidade de gerar mudanças que vão beneficiar a humanidade. Por quê? Porque essas são crianças que aprendem a respeitar a si mesmas. Esse auto-respeito fortalece sua determinação de se voltar para dentro a fim de tomar suas decisões – de serem auto-orientadas.

Para mostrar respeito pelas crianças, temos de aceitar dois dados. Primeiro: as crianças são nossos iguais espiritualmente. Segundo: nosso papel não é manipulá-las para que se tornem as pessoas que gostaríamos que fossem. São incontáveis as vezes que vi pais tratarem os filhos com um desrespeito que nunca mostrariam por adultos desconhecidos. Pais e filhos só diferem no tamanho, na experiência e no saber – características que não são inerentes, nem permanentes. Em resumo: devemos mostrar por nossos filhos o mesmo respeito que esperaríamos que os outros mostrassem por nós. Precisamos enviar-lhes a mensagem de que o que eles têm a dizer é importante e deve ser ouvido.

3. Coerência

Ser disciplinadores coerentes também é crucial para educar crianças auto-orientadas. A coerência talvez seja o maior desafio que nós, pais, enfrentamos; mas, sem ela, nossos filhos desenvolvem formas de diálogo interno dirigidas por influências externas: "É nessa hora, quando a mamãe vira um bicho, que eu choramingo e peço para ela me tirar do castigo?

Hummm. Tenho de arranjar um bom plano para fazer com que ela faça o que eu quero". Quando nossa disciplina é esporádica, o diálogo interno deles também vai ser.

Mas, quando nos mantemos firmes nas rédeas, eles têm um diálogo interno auto-orientado: "É melhor ir com calma com essa história de castigo. Ela vai dizer que não vai começar a contar o tempo enquanto eu não ficar bonzinho. Já tentei de tudo e *nada* funciona com ela. Além disso, ela deve levar bem a sério essa regra de não jogar futebol dentro de casa. Agora entendo por quê: eu quebrei sua luminária predileta. A partir de agora, vou brincar lá fora".

Igualmente importante é que os pais sejam coerentes um com o outro. É claro que, sendo pessoas completamente diferentes, todos temos idéias diferentes sobre a criação dos filhos. Mas vale a pena criar um programa disciplinar que satisfaça ambos os pais. Uma frente de batalha unida evita que um deles sabote ou solape o outro e evita a manipulação dos pais por parte de nossos espertíssimos filhos. Quando as crianças percebem incoerências entre os pais, acabam dando primazia ao pensamento orientado por fatores externos. "A mamãe diz que não posso ir de bicicleta até a loja gastar minha mesada. Sei que o papai acha que ela é superprotetora, então vou pedir a ele." Por outro lado, quando os pais são aliados, os filhos podem pensar de uma forma mais introspectiva. "Puxa, aquela regra sobre ir de bicicleta sozinho até a loja deve ser importante por algum motivo. Meus pais estão inteiramente de acordo a respeito dela; como é que eu poderia convencê-los do contrário? Mas acho que entendo o ponto de vista deles. E se eu me perder? E se um carro sair da pista e... bom, acho que nem eu quero *ir* lá! Vou esperar até um deles poder me levar."

4. Manifestar nossas boas opções de comportamento

É importante fazermos o possível para obedecer às mesmas regras que esperamos que nossos filhos obedeçam, porque nada os confunde mais sobre a pertinência dessas regras. Essa confusão depois os leva a valorizar raciocínios orientados por fatores externos, como "Puxa, é impressionante como o papai xinga. Como é que ele espera que eu nunca diga algo como 'idiota' ou 'burro'? Não é justo. São palavras muito úteis! Espera aí, eu *posso* muito bem xingar meu irmão menor!". Outro exemplo: "Cara, não acredito que a mamãe disse à sra. Bevins que ela não pode fazer um bolo de chocolate para vender na escola porque está resfriada! Ela está prontinha para ir jogar tênis com a tia Pauline! Quando ela fala para a gente não mentir, ela quer dizer que mentirinhas inocentes pode. Será que dizer à professora que o Fido fez xixi no resumo do livro que eu fiz é uma mentirinha inocente? Acho que é".

Em ambos esses exemplos, as crianças usaram fatores externos para chegar a uma decisão que é moralmente errada. "Se não há problema quando os meus pais fogem às regras de vez em quando, também não vai haver problema se eu fizer isso." O mais importante da história é que usaram a infração às regras dos pais para justificar opções erradas. O que só acrescenta mais um fio à teia de auto-engano que estão tecendo.

Bem, agora vamos ver um exemplo que cria o pensamento orientado internamente: "A mamãe diz que ela quer que a gente use palavras, em vez de tapas. Ela nunca encostou a mão em nós, por isso acho que ela acredita nessa regra. Espera aí, eu não gosto de levar tapa; por que a minha irmãzinha haveria de gostar? Vou conversar com a Annika sobre o que senti quando ela roubou as roupas da minha Barbie – em vez de lhe dar uns peletecos". Aqui, por meio de um diálogo absolutamente interior, ela usa a coerência da mãe para examinar a importância de uma regra. Resolve obedecer à regra, porque seu comportamento é moralmente errado, não porque alguém lhe disse isso.

5. Manter o controle

Todos nós temos um limite, até mesmo uma mãe ou pai consciencioso como você, que ama os filhos o bastante para ler livros como este. Afinal de contas, são tantos os "Mas, mamãe" e os "Não, não vou fazer isso" que tem hora que um ser humano simplesmente não agüenta. Apesar disso, precisamos tentar manter o autocontrole o máximo possível. Frases como "Eu gostaria que você nunca tivesse nascido", "Tenho vergonha de você", "Você nunca vai ser alguém na vida" ou um tapa na cara podem ter um efeito permanente e devastador na auto-imagem e nas perspectivas de nossos filhos. Claro, isso é péssimo, mas o que tem a ver com a criação de filhos auto-orientados? Muita, muita coisa. Quando os pais perdem as estribeiras, em geral as crianças deixam de lado as tentativas de analisar seu comportamento internamente, porque estão recebendo mensagens daqueles que amam e em quem confiam de que sua capacidade de autocrítica é defeituosa. Sabendo desse efeito, sempre é bom pensar antes de falar ou levantar a mão num momento de raiva. E devemos evitar procurar justificativas por perder o controle com os filhos.

Eis aqui o que algumas crianças dizem a respeito da perda do autocontrole por parte dos pais:

Abi, doze anos: "Nenhuma criança gosta que gritem com ela, ou batam nela, porque isso quer dizer que os pais não estão lhe dando ouvidos, e faz com que elas fiquem furiosas com os pais".

Erik, dez anos: "Quando gritam com as crianças, isso faz com que elas sintam vontade de chorar, porque se sentem péssimas".

Stephanie, treze anos: "Bem, alguns pais gritam com os filhos o tempo todo, em vez de ajudá-los a resolver seu problema. É muito errado. E quando batem nos filhos, não lhes dão uma lição. Só os deixam loucos de raiva!"

Sempre que temos problemas em manter a calma, quando somos tentados a gritar, berrar ou bater, devemos nos afastar de nossos filhos até conseguirmos nos acalmar. Podemos usar esses momentos para analisar nossos sentimentos. Perdemos o controle realmente porque Timmy tentou enfiar seu caminhãozinho de brinquedo na privada para vê-lo girar? Será que não era apenas uma curiosidade inocente de uma criança em ação? Será que bater nele vai adiantar alguma coisa? Ou será que estamos apenas frustrados porque deu pau no computador pela quarta vez essa semana? Depois que temos a oportunidade de pensar bem nas coisas, podemos respirar fundo, refletir sobre os momentos de intimidade que tivemos com nossos filhos, lembrar que eles estão aprendendo e crescendo e entender o mal que lhes faríamos se passássemos do dr. Jekyll para o sr. Hide.

Suponha que a gente tenha feito o inevitável e entornamos o caldo. Sempre que isso acontece *comigo*, peço desculpas sem tentar me justificar pelo que fiz. Por exemplo, quando digo a um de meus filhos: "Desculpe por ter perdido a calma com você", paro por aí mesmo. Nada de comentários como "mas você sabe que eu detesto ser interrompida quando estou ao telefone". O que uma criança auto-orientada pensa quando peço desculpas por perder o controle? Provavelmente algo assim: "Puxa, a mamãe me trata como se eu fosse adulto. É preciso coragem para alguém pedir desculpas, acho que ela realmente me ama. Agora estou me sentindo péssimo por tê-la interrompido quando ela estava falando ao telefone. Vou tentar não fazer mais isso. Eu também vou pedir desculpas, para que ela fique bem". Compare os dois. Falatório e explosões de raiva fazem nossos filhos projetarem seu pensamento no mundo externo: "Detesto meus pais. Eles são uns monstros". Manter a calma ou pedir desculpas quando a perdemos faz nossos filhos pensarem nas escolhas erradas que fizeram e nas maneiras de corrigi-las. É em torno disso que gira toda essa história de auto-orientação.

6. Questionar o comportamento, não a criança

Até os pais mais dedicados do mundo escorregam e agridem os filhos com ataques verbais como: "Seu quarto está um horror! Por que insiste em viver num chiqueiro?". Mas atacar as crianças pessoalmente, em vez de discutir seu *comportamento*, leva-as a acreditar que todo erro é reflexo de um defeito intrínseco. Michelle, de treze anos, diz: "Quando os pais dizem coisas agressivas, como 'você é um porco', ou 'você está uma baleia, pare de comer a toda hora", fazem as crianças se sentirem mal, em vez de ajudá-las a resolver o problema. Se eu acreditasse em tudo o que eles dizem, acharia que sou uma imprestável". E, no fim das contas, como as crianças podem ser auto-orientadas se não têm respeito por si mesmas? Como podem ter fé em qualquer diálogo interno que o "eu" cria? Em vez disso, vão tender a confiar nas influências externas, pelas quais têm mais respeito.

Algumas crianças reagem a essas agressões com um contra-ataque, fazendo a mãe ou o pai parecerem o "vilão da história". Outras usam esses mesmos insultos para caracterizar sua identidade. Mas, quando as crianças não conseguem separar sua identidade de seu comportamento, deixam de ver seus problemas e decisões de forma objetiva. Depois que essa objetividade é perdida, fazer mudanças conscientes em suas opções torna-se difícil, talvez até impossível.

Podemos ensinar nossos filhos que eles não são suas opções, e sim a força criadora por trás delas. Podemos mostrar-lhes que têm um poder absoluto para mudar essa força da maneira que quiserem e que é o impulso consciente de tomar decisões, e não o resultado das decisões, que constitui sua identidade e senso de valor pessoal. Afinal de contas, os resultados são parte de seu passado e não podem ser mudados. Só podemos mudar o que está à nossa frente, o futuro. Portanto, o resultado de uma decisão de nossos filhos não os torna inerentemente maus. Podemos lhes dizer que até pessoas boas podem fazer escolhas erradas. Alguns exemplos: suponha que Timothy não saiba se comportar direito à mesa. Mastiga fazendo barulho e põe a mão suja no prato dos outros para pegar o último biscoito. Papai grita: "Timothy, você é o maior porco que eu conheço. Não posso apresentar você em público.

Você é um nojo!". Essas observações questionam o valor de Timothy como pessoa. Ele é rotulado de porco, o que ele vai tomar como verdade absoluta e levar sua auto-estima lá para baixo, ou vai contra-atacar, voltando-se contra o pai com um comentário insolente. Seja como for, ambas representam orientação externa. Bem, se o pai dissesse algo como: "Filho, em nossa família achamos certo mostrar respeito pelos outros à mesa. Isso significa lavar as mãos, comer de boca fechada e pedir para lhe passarem a comida", então Timothy seria obrigado a examinar seu comportamento, suas repercussões nos outros e formas de corrigi-lo. Em outras palavras, orientação interna. As observações do pai discutiram seu comportamento de uma forma justa e educada, portanto não há razão para Timothy contra-atacar.

7. Deixar os filhos assumirem seus problemas sozinhos

Uma das regras essenciais para criar filhos auto-orientados é nunca deixar seus problemas de comportamento se tornarem mais importantes para nós do que para eles. Nossos filhos sempre devem ser os donos exclusivos de seus problemas. Caso contrário, vão se voltar em busca de orientação externa.

Como entramos nessa ratoeira? Quase tudo o que nos impulsiona envolve um detalhe simples: sentimos uma urgência maior em relação ao problema de nossos filhos do que eles. Às vezes, levamos seus maus comportamentos a nível pessoal, como se eles só estivessem querendo nos aborrecer. Por isso apelamos para os gritos e para as censuras intermináveis. Outras vezes, temos medo de que nossa capacidade como pais seja deficiente. Por isso fazemos as obrigações deles quando eles se recusam ou se esquecem de fazê-las, subornamo-los para serem educados na quitanda e deixamos passar "batido" quando eles fazem uma observação insolente. Às vezes, simplesmente achamos que nossos filhos não são capazes de se comportar direito. Por isso vamos em seu socorro, consertando tudo o que fazem de errado, reconfortando os sentimentos de um irmão que eles ridicularizaram ou fazendo parte de seus deveres quando eles acham muito difícil e preferem assistir à televisão.

Depois de irmos em seu socorro, nossos filhos renunciam alegremente à propriedade de seus problemas e, por conseguinte, à reflexão íntima sobre eles, porque podem ver muito bem que esses probmeas são mais importantes para nós do que para eles! E, afinal de contas, as crianças não resolvem um problema difícil se não acham que é delas.

Se conseguirmos perceber quem é que está sentindo mais urgência em relação aos problemas de nossos filhos, podemos nos afastar desse problema. Às vezes, um mantra ajuda. Gosto de dizer a mim mesma: "Não é problema meu, é dele (ou dela)!". Depois de algum tempo, nossos filhos entendem que não vamos ceder à pressão, nem deixá-los se comportar mal, de modo que desistem e tentam descobrir alguma forma de resolver seus problemas de comportamento por conta própria, de forma auto-orientada.

8. Minimizar o falatório

Outro defeito dos pais é *falar* demais. Passamos sermões, damos ordens, explicamos, negociamos, adulamos, persuadimos, imploramos, insistimos, exigimos, advertimos e interrogamos. Como as crianças podem refletir por conta própria a respeito de suas decisões com esse tipo de distração? Não podem. Simplesmente entram na nossa freqüência até acabarem surdos às nossas palavras. Aquelas crianças que não ignoram nossa falação incessante são as que entram na dança retrucando, irritando-se, entrando em jogadas passivo-agressivas como fazer beicinho e chorar, e outras nem tão passivas assim, como bater portas ou encontrar uma forma de nos manipular e nos fazer calar a boca. A última coisa em que vão pensar é: "Mamãe está furiosa comigo porque não arrumei a cama. Acho que esses coelhinhos empoeirados estão com uma aparência horrorosa. Vou correndo para o meu quarto arrumá-lo agora mesmo e deixá-lo um brinco!". Só em nossos sonhos!

Uma criança de onze anos resumiu a questão muito bem: "Quando minha mãe fica ali falando, falando e falando sobre o que fiz de errado, eu simplesmente começo a pensar em outra coisa, como no Nintendo. É tão chato!". Portanto, vamos tentar fazer um pouco mais de silêncio. Assim, nossos filhos podem refletir melhor sobre seus atos, como deve fazer toda criança auto-orientada. Mais tarde, vou mostrar várias formas de instilar nossas estratégias de disciplina, fazendo-as chegar perto de um sussurro. E todos sabemos que um sussurro chama a atenção de todo o mundo.

9. Usar mais fatores positivos do que negativos

É fácil ser pego na ratoeira de nos relacionar com os filhos só através do conflito. Quando fazemos isso, nossa relação pais-filhos torna-se uma relação de antagonismo, em vez de ser uma de harmonia. Não ajuda em nada quando nosso vocabulário é repleto de palavras ou expressões como "não", "não pode", "pare" e "não faça isso". Usar essas palavras de uma forma exagerada significa que nosso papel de mentores de nossos filhos é frágil, na melhor das hipóteses: usamos essas palavras para apagar incêndios, e não para incentivá-los e guiá-los. Termos como esses não lhes sugerem uma forma de encontrar a opção certa. Essa forma de criar os filhos é mais *reativa* do que *antecipatória*. Os pais optam por ela porque é mais fácil e não requer que eles analisem e prevejam o comportamento de uma criança. Alguns pais e mães conseguem fazer essas coisas até de olhos fechados! Uma das mães viu-se numa fita de vídeo de Natal dizendo constantemente a seus filhos que parassem de tocar nas coisas, que ficassem quietos e que parassem de choramingar. Não se conformava com o quanto "parecia uma velha ranzinza" e disse que "nenhuma das crianças se sentiu muito feliz naquele dia". As crianças expostas a esse tipo de negatividade não se importam com o diálogo interno. Simplesmente reagem aos fatores externos pensando no quanto os pais são insuportáveis.

E como acabar com esse hábito horroroso? Podemos tentar começar tomando consciência dele. Podemos tomar notas mentalmente toda vez que falamos "não", "não pode", "não faça", "pare com isso" e outras expressões negativas e, toda vez, examinar os motivos. Estamos tentando dominar nossos filhos? Estamos apenas tentando manter um mínimo de ordem? Precisamos aprender a parar para pensar: qual é a pior coisa que pode acontecer se dissermos "sim", "pode", "claro, por favor" ou "vá em frente"? Se pensarmos antes de reagir, podemos travar menos batalhas com nossos filhos e ver seus pontos fortes, em vez de nos concentrarmos em suas imperfeições. Essa abordagem nos ajuda a gostar mais de nossos filhos, para que se tornem um motivo de felicidade e não um fardo.

Quando nossos filhos não estão brigando conosco o tempo todo, não só usufruem mais de nós, como também se tornam menos "surdos às palavras dos pais". Depois que reduzimos o antagonismo, fica mais fácil criar um ambiente mais positivo para nossos filhos. As crianças reagem com uma atitude negativa e respondem com uma atitude positiva. Uma criança de dez anos disse o seguinte: "Gosto quando meus pais ficam felizes quando nos disciplinam. Não gosto quando eles ficam loucos da vida e histéricos".

Há várias formas de chegar à disciplina positiva. Em primeiro lugar, podemos evitar jogar erros passados na cara deles. Fazer isso só os envergonha e, mais uma vez, ensina-os a se avaliar em termos do que há de errado com eles, em vez de fixarem o que é certo e bom. Em vez de nos concentrarmos no erro, devemos nos concentrar nas soluções. Dessa forma encorajamos nossos filhos a usar sua capacidade de raciocínio para analisar nossas sugestões de modo a poderem aceitá-las ou rejeitá-las. E sempre que nos concentramos nas soluções, em vez de só destacarmos o problema ao disciplinar nossos filhos, essa atitude também os ensina a se concentrar nas soluções.

Outra forma de manter um clima positivo é não fazer restrições a comentários positivos. Um exemplo: "Puxa, você arrumou o seu quarto direitinho, *mas* se esqueceu de tirar aquelas coisas ali debaixo da cama". Você precisa fazer o possível para sublinhar as observações positivas, sem fazer com que sejam acompanhadas por críticas.

Uma terceira forma de manter a disciplina tão positiva quanto possível é enfatizar o que nossos filhos fizeram de certo. Por exemplo: meu filho Erik costuma ter problemas para terminar sua rotina da manhã. Uma coisa da qual se esquece freqüentemente é pentear o cabelo. Em vez de dizer: "Erik, seu cabelo está um horror! Por que você não se penteia?", falo das coisas de que ele se lembrou: "Você já está quase pronto, Erik. Pôs roupas limpas bem legais, terminou o café e pôs os pratos na pia, escovou os dentes e já está com a mochila a postos. Agora só falta passar um pente no cabelo". No segundo exemplo, ele se concentra em todos os seus êxitos e, graças a esse raciocínio, pode fazer a opção de acrescentar mais um êxito àquela longa lista. No primeiro caso, ele se concentra no que um garoto imprestável como ele está deixando de fazer, ou na ditadora insuportável que é a sua mãe.

Outra maneira de criar um ambiente positivo é incentivar as crianças a se ajudarem a si mesmas. Quando seu filho tem problemas com matemática, mas está jogando *videogame* na véspera de uma prova, podemos argumentar: "Seria bom você usar esse horário livre antes do jantar para dar uma repassada na tabuada. Você quer que eu tome de você?". Esse empurrãozinho dos pais estimula as crianças a entrar num diálogo interior e pensar em formas de mudança de comportamento indesejável.

10. Não ignorar um mau comportamento

Ignorar o mau comportamento de nossos filhos só enfatiza a segunda parte daquela bela regra que diz "oriente, e depois caia fora". Quando as crianças choramingam, pedem, importunam, brigam ou têm um ataque de raiva, ignorá-las simplesmente as incentiva a persistir. Muitos pais ignoram os problemas porque não querem enfrentá-los, não querem ser incomodados ou têm problemas pessoais bem maiores! Alguns pais usam a tática de ignorar o que os filhos estão fazendo como um instrumento disciplinar, principalmente quando eles estão choramingando ou tendo um outro comportamento desagradável qualquer. Fazem observações zombeteiras como: "Gente, será que tem alguém falando aqui? Acho que não. Tudo quanto estou ouvindo é pura manha". Isso não ajuda nem um pouco a levar as crianças a pensar em seu comportamento, nem a raciocinar para ver o que fazer para mudar. A última coisa em que pensam é: "Cara, meu pai não está prestando atenção nisso. Talvez fosse bom eu parar com essa besteira e me comportar como gente grande!". O mais provável é que pensem algo assim: "Meu pai me detesta. Não presta atenção nenhuma em mim. Gosta muito mais de Sarah que de mim. Eu também o detesto, detesto, detesto! Vou fugir de casa. *Aí então* ele vai ver o que é bom!". Aqui, a criança dirige sua atenção para influências externas (o pai), em vez de se voltar para dentro em busca de soluções para o seu mau comportamento.

Uma criança disse o seguinte: "Quando minha mãe me ignora de propósito, fico com tanta raiva que não seguro a onda. Eu a conheço bem. Não consegue me enganar de jeito nenhum. Por isso fico tão louca da vida que às vezes digo alguma coisa desagradável e saio batendo o pé".

II. Não usar influências externas

É bom usar fontes externas para nos ajudar a disciplinar nossos filhos, mas essa técnica é a mesma coisa que segurar um cartaz bem grande com os seguintes dizeres: "Olhe para o mundo externo em busca de resposta para seus problemas!". As influências externas mais comuns que os pais usam são subornos e ameaças. Ameaçar tirar um brinquedo ou um privilégio promove a orientação externa. O mesmo se dá quando invocamos uma autoridade superior. "Espere só até seu pai chegar!" é uma das prediletas dessa categoria. Minha especialidade anos atrás era usar o Papai Noel como artilharia pesada. "Será que vou ter de chamar o Papai Noel? Meu bem, qual é o número do telefone do Papai Noel mesmo? Annika não quer se aprontar para ir para a cama e eu acho que ele precisa saber disso." E é claro que eu me certificava de que ela realmente pensava que eu converso com o grande homem em pessoa. Cheguei ao ponto de lhe pôr o telefone nas mãos e dizer: "Annika, você não quer contar para ele as escolhas erradas que tem feito ultimamente?". Infelizmente, essa postura funcionava como um feitiço. Meus filhos eram sempre uns anjos um mês antes do Natal. Mas, com o tempo, esse tipo de coisa mostra que nossa autoridade pode cair por água abaixo. Cara, isso equivale a abrir as comportas da manipulação durante o ano todo. Além disso, o que acontece quando eles param de acreditar em Papai Noel?

Eis aqui uma sugestão para aqueles momentos em que você está no fim da linha. Olhe o malfeitorzinho bem nos olhos e pergunte: "Se você fosse mãe/pai, o que faria com um filho que estivesse se comportando como você?". Você vai ficar surpreso com algumas de suas grandes saídas! Às vezes, vêm com propostas bem mais duras do que aquelas em que você teria pensado!

Nossos filhos precisam aprender a modificar seu comportamento e a fazer opções porque isso está de acordo com seus valores, e não porque está de acordo com os valores de outra pessoa; e nem porque estão com medo, nem porque não querem despertar a raiva de alguma mítica figura de autoridade.

12. Não salvar as crianças das conseqüências de seu mau comportamento

Um dos piores equívocos dos pais é achar que é tarefa sua tornar seus filhos felizes. Por isso é que muitos pais enchem os filhos de presentes, doces, recompensas e elogios. Superprotegem e orientam demais. Douram a pílula dos erros e fracassos dos filhos. Todas essas práticas roubam das crianças sua capacidade de encontrar a própria felicidade. Nunca aprendem a se expressar plenamente, porque tudo já foi feito *por* eles. Isso é orientação externa, não interna.

É facílimo nos envolvermos exageradamente com as opções de comportamento de nossos filhos: limpar o leite derramado, pegar suas roupas sujas jogadas no chão, fazer alguns de seus problemas de matemática, etc. Quando me surpreendo envolvida demais, paro e lembro a mim mesma qual é o meu verdadeiro papel de mãe: *Preciso orientar e depois cair fora*. Quando nos envolvemos demais, na verdade estamos só orientando, sem conseguir ficar de fora. Na verdade, no outro extremo desse leque, nem sequer os estamos orientando. Estamos é levando nossos filhos a se orientarem por fatores externos!

Por isso temos de fazer o mínimo necessário para dar a partida ao processo de avaliação interna dos problemas por parte de nossos filhos. Depois caímos fora e observamos o que acontece.

Mas, para falar a verdade, às vezes os pais são uns fracos. Protegem demais os filhos para evitar que sofram as conseqüências de seu comportamento horroroso, ou para que seu comportamento não seja um reflexo negativo do deles como pais. Podem, por exemplo, começar a dar desculpas: "Johnny está tendo muita dificuldade em se comportar bem na escola. É que acabamos de nos mudar e seu pai está num emprego novo. Ele vai ficar bem assim que as coisas assentarem". Às vezes não é necessário interceder: "Não ponha as mãos no Sam! Você não se lembra que ele tem um sopro no coração?". Esse pai (ou mãe) salvador está enviando uma mensagem perniciosa para as crianças: não acreditamos que sejam capazes de resolver seus próprios problemas. Se quisermos que elas algum dia sejam auto-orientadas, essa fé interior é crucial! Essa atitude também impede as crianças de usarem sua capacidade de raciocinar, o que exige um enorme esforço consciente de sua parte!

Outra forma segundo a qual os pais de vez em quando se comportam como fracos é quando cedem muito facilmente às exigências dos filhos. Por exemplo: quando David dá um empurrão na irmãzinha e é posto de castigo no quarto, se ele choramingar e gritar alto e por tempo suficiente, a mãe joga as mãos para o alto e lhe dá aquela famosa "segunda (ou terceira, ou quarta, ou quinta) chance". Uma criança disse-me: "Quando eu peço e imploro, minha mãe sempre acaba me fazendo a vontade. Venço-a pelo cansaço, eu acho. É superfácil deixá-la com pena de mim!".

Ameaças que nunca são cumpridas também agravam o fator fraqueza! Jon, de doze anos, disse: "Sei quando minha mãe e meu pai estão falando sério e quando não estão. E, em geral, não estão!". Tornamos mais fácil ainda para eles verem através de nós quando fazemos ameaças impossíveis, como "Se você não se comportar direito agora, vou deixar você para trás. Você vai ter de se virar sozinho em casa, enquanto o resto de nós curte as férias de verão!". Nunca, nunca, NUNCA faça uma ameaça que não pode cumprir.

Quando tentamos seguir essas doze regras, é provável que nossos filhos achem natural usar a orientação interna para fazer suas escolhas, avaliar as conseqüências dessas opções e descobrir como corrigir as escolhas erradas. O ponto comum a todas elas é que devemos dar a nossos filhos todos os motivos certos para se comportar bem. Nas crianças auto-orientadas, esses motivos sempre vêm de dentro.

Oito técnicas para disciplinar que incentivam a auto-orientação

Continue lendo, pois vou lhe mostrar minhas técnicas práticas favoritas para disciplinar crianças de uma forma que preserva e até incentiva a auto-orientação. Essas oito técnicas têm uma coisa em comum — todas estimulam as crianças a analisar tanto as opções que estão fazendo quanto as conseqüências potenciais para elas e para os outros. É uma boa idéia misturar essas técnicas, para que seu programa de disciplina conserve um certo frescor que vai manter as crianças alertas. Também sugiro que, de vez em quando, você releia esta seção, bem como a anterior, para refrescar a memória.

Vamos examinar em detalhe as minhas oito técnicas favoritas.

1. Fazer perguntas

A técnica de fazer perguntas é mais importante para os adolescentes, mas também funciona com crianças menores. Em resumo, os pais ensinam as crianças a fazerem opções mais razoáveis propondo-lhes perguntas, em vez de começar com o dilúvio habitual de críticas, censuras e sermões. Essas perguntas constituem um quadro de referências para o diálogo interno de nossos filhos, pois as crianças precisam pensar em suas opções e chegar às decisões por conta própria. Por exemplo: se Jimmy chama o irmão mais novo de fracote estúpido e esquisito, devemos evitar sair correndo em socorro da "vítima" jogando na cara de Jimmy todos os seus pecados anteriores. Mais tarde, podemos perguntar a Jimmy: "Como você acha que seu irmão se sente quando você diz esse tipo de coisa para ele?", "Como você se sentiria se alguém dissesse essas coisas para você?", "O que você pode fazer para ele se sentir melhor?". Também precisamos deixar claro para Jimmy que nossas perguntas não são retóricas e que esperamos uma resposta. Se conseguirmos, ótimo! Se não, acredite em mim, as engrenagens da cabecinha dele estão girando. Eis aqui alguns exemplos:

Quando nossa filha deixa marcas de lama no chão da cozinha que acabamos de limpar depois do treino de *softball*, podemos lhe perguntar: "Como você acha que eu me sinto quando olho para essa sujeira no chão logo depois de eu ter dado o maior duro para limpá-lo?", "Qual é nossa regra sobre usar sapatos dentro de casa?", "O que você acha que pode fazer para consertar as coisas?".

Aliás, não há problema em ajudar as crianças a chegarem às suas respostas às perguntas que lhes fazemos quando necessário e quando achamos que elas vão estar receptivas.

Nenhuma acusação deve estar implícita nessas perguntas. Nenhuma crítica ou intenção de envergonhá-las. E também precisamos ter cuidado para não interrompê-las, para não chegar com uma resposta melhor, para não usar um tom de voz irritado nem para fazer essas perguntas de maneira que possam ser interpretadas como uma forma de crítica hostil. O objetivo de nossas perguntas não é menosprezar, despertar sentimentos de vergonha e culpa, justificar nossos sentimentos de exasperação ou castigar as crianças de alguma forma. Se nos lembrarmos de fazer essas perguntas calma e respeitosamente, nossos filhos não vão ter como se desculpar por reagir com represálias, uma resposta clássica de orientação externa.

Os únicos objetivos de fazer-lhes perguntas são incentivar nossos filhos a examinar e reconhecer suas opções erradas, convidá-los a descobrir formas de corrigir ou retificar as conseqüências dessas opções e encontrar formas de fazer opções melhores. Essa técnica, quando aplicada com o auto-respeito e a dignidade da criança em mente, pode ser um instrumento muito eficiente não só para ajudar a desenvolver a capacidade de resolver problemas, como também para validar-nos e fortalecer-nos no importante papel que temos como educadores.

2. Descrever o problema imparcialmente

Manter a objetividade ajuda nossos filhos a se concentrarem em seus próprios erros, em vez daquilo que pensam ser os nossos. Essa objetividade pode ser alcançada com o uso de descrições imparciais ou o fornecimento de informações específicas relativas ao mau comportamento. Ambos são bons substitutos das avaliações, que tendem a ser mais subjetivas, passionais e ofensivas. Esses substitutos não atacam a auto-estima dos filhos, nem os fazem reagir cegamente, ao passo que o fato de criticá-los e ridicularizá-los faz. O mais importante é que ambas as técnicas ajudam as crianças a considerarem as conseqüências de seus atos.

Descrever o problema imparcialmente seria como dizer: "Estou vendo que já são seis horas e você ainda não começou seu trabalho de Ciências", em vez de "Que diabos você está fazendo! Já está na hora do jantar e você está aí sentado na frente da televisão! Seu trabalho de ciências é para amanhã! Estou cheia de adiamentos! Detesto ter de lembrá-lo todo dia de fazer seus deveres de casa!". A primeira versão é informativa e objetiva. A segunda é acusatória e subjetiva. Uma é breve e calma. A outra requer mais tempo e esforço e cria antagonismo entre pais e filhos. Imagine a resposta de uma criança, tanto interna quanto externamente, a cada uma dessas abordagens bem diferentes!

Outro exemplo dessa técnica é espelhar os sentimentos para a criança. Suponha que Max e seus amigos estejam excluindo uma outra criança. Poderíamos dizer: "Estou vendo que Robert está se sentindo excluído, uma vez que vocês dois não o incluíram no Clube do Agente Secreto. Ele parece estar bem chateado. Deve achar que ninguém gosta dele". Como essas observações não são nem um pouco acusatórias, não atacam a auto-estima de Max.

Dar informações específicas também fornece às crianças dados adicionais de que elas precisam para considerar internamente uma situação. Elas podem incluir algo do gênero: "Os pés gostam é do chão", quando nossa filha está com os pés em cima da mesa. É muito mais eficiente do que dizer: "Laurie, quantas vezes tenho de lhe dizer para tirar esses sapatos imundos de cima da mesa?". Quando enfrentamos um problema de comportamento descrevendo-o ou dando informações sobre ele, só resta a nossos filhos refletir sobre seus atos, tirar conclusões e tomar decisões por conta própria. Além disso, ao manter a objetividade, mantemos a calma, evitamos penosas lutas pelo poder e ainda cumprimos nossa missão como pais educadores.

3. Dar alternativas limitadas

Outra forma de disciplinar de forma que nossos filhos enfrentem seus problemas de comportamento com um raciocínio auto-orientado é dar-lhes alternativas. Minhas três formas prediletas de lhes dar alternativas são o "isso ou aquilo", o "se-então" e o "quando-então". Essas três, embora simples e fáceis de aplicar, fazem muito para ajudar os pais a evitar aquelas negativas contraproducentes, como "não", "não faça isso", "não pode" e "pare". Stephanie, de treze anos, diz: "Quando meus pais ficam me falando o que fazer o tempo todo, simplesmente paro de ouvir. É como se eu pensasse: 'Por que tenho de ficar ouvindo? Me deixa em paz. Posso descobrir essas coisas sozinha!'."

Eis aqui alguns exemplos da técnica "isso ou aquilo": digamos que nossa filha está pedindo para comer aqueles doces açucarados em vez das sugestões mais saudáveis que lhe oferecemos. Antes de ela se tornar emocionalmente apegada a algo que não tem permissão de comer, podemos dizer: "O que você gostaria de comer hoje de manhã, flocos de milho ou mingau de aveia?". Ela pode ter menos vontade de desafiar as regras caso se sinta com mais poder, o poder de fazer uma escolha. E não é preciso "bater de frente" dizendo: "Não, você não vai poder comer isso aí no café-da-manhã!". Se as batalhas na hora de dormir são um triste modo de vida, não é preciso lutar para saber se eles vão ou não para a cama quando mandarmos. Em vez disso, podemos dar-lhes uma opção: "Está na hora de ir para a cama: o que você quer fazer primeiro, ler uma história ou escovar os dentes?". A maioria das batalhas com as crianças gira em torno de sua sede de poder e atenção. Dar-lhes alternativas mostra a elas que respeitamos sua capacidade de tomar decisões e que estamos dispostos a lhes dar uma parte razoável do poder e atenção que desejam. Essa demonstração de respeito ajuda-as a considerar essas opções por meio de seu diálogo interno, em vez de reagir à inflexibilidade, tornando-se assim externamente orientadas.

A seguir, alguns exemplos de técnicas do tipo se-então e quando-então: quando seu filho está fazendo birra na hora de pôr os sapatos para ir à pracinha, não devemos explodir e dizer: "Esquece. Não há como levar você à pracinha quando fica desse jeito!". Em vez disso, devemos tentar dizer-lhe calmamente: "Quando você tiver posto o sapato, então a gente vai para a pracinha". Suponha que seu filho está rabiscando num pedaço de papel e devaneando, em vez de fazer o dever de casa. Você poderia lhe dizer: "Se terminar o dever de casa, então você pode sair e brincar".

Essas três técnicas são extremamente eficazes no sentido de motivar as crianças a pensar em seu comportamento e corrigi-lo por conta própria, usando seu diálogo interno.

4. Ser minimalista

Tenho de admitir que em outras áreas da minha vida adotei a atitude de "quanto mais, melhor". Meus cachorros estão gordos, minhas plantas estão se afogando no seu próprio bolor, minhas árvores são podadas até só ficarem uns pobres toquinhos e o cabelo de meus meninos parece uma juba. Essa mesma filosofia atinge muitas vezes nossos filhos hiperdisciplinados. Como já disse antes, quanto mais falamos, tanto menos capazes eles são de analisar seu comportamento.

Como aplicar a abordagem minimalista à disciplina? Através de formas simples e mais sutis de comunicação, como observações com uma ou duas palavras, expressões faciais ou gestos. Suponha que Alex atirou os sapatos no meio do corredor de entrada, onde os outros podem tropeçar neles. Se dissermos apenas "Alex... sapatos", ele vai se lembrar de focar a atenção internamente em sua escolha infeliz e usar o diálogo interno para encontrar formas de corrigi-la. Suponha que Nancy está entrando em sua segunda hora de fofocas no telefone. Podemos dizer apenas "Nancy... já chega" e passar o dedo pela garganta para lhe dizer aquele universal "corta essa!".

Quanto menos falamos, tanto menor o risco de nos tornarmos chatos, insultuosos ou supercontroladores, ou de humilhar nossos filhos. E quanto menos falamos, menores as chances de dizermos coisas que podem ser mal interpretadas. Eles em geral consideram gestos ou palavras isoladas como lembretes cordiais, mas firmes. Como todas essas outras técnicas, o minimalismo incentiva as crianças a pensar no que estão fazendo de errado a fim de corrigi-lo. O resultado: menos lutas de poder externamente orientadas em nossas relações com os filhos.

5. Usar o humor

Adoro humor. É um instrumento maravilhoso e subaproveitado, capaz de apagar o rastilho das situações mais explosivas. Quando usamos a imaginação, nossos filhos podem aprender a fazer escolhas melhores *rindo*. Por exemplo: podemos exercitar nosso melhor sotaque italiano e fazer o papel de um garçom desajeitado para fazer Thomas parar de ser tão indeciso na hora de resolver o que vai querer almoçar. Podemos dizer a Megan que a fada das jaquetas está de férias quando ela joga a sua no chão ao chegar em casa.

O humor promove a auto-orientação por vários motivos. Primeiro, mostra a nossos filhos que nos recusamos a brigar com eles, de modo que não têm motivos para retaliações. Essa atmosfera os deixa livres para entabular o diálogo interno a respeito de seu mau comportamento. Com humor também deixamos claro para eles que, como não vamos lhes passar uma descompostura nem pular em sua garganta, é óbvio que seus problemas não são mais importantes para nós do que para eles. Finalmente, o humor apaga o rastilho de pólvora de situações explosivas, de modo que nossos filhos salvam as aparências ao mesmo tempo que corrigem o comportamento de uma forma autodirigida.

Essa técnica não deve incluir imitações ridículas. Imitar seus gemidos, choro ou ataques de raiva só os enraivece e torna seu comportamento pior ainda. Além desse, o único outro requisito é divertir-se. Tenha criatividade. Apele para o cômico. E, talvez, só talvez (nada de promessas agora!), você possa interromper seu trabalho e apostar uma corrida com Seinfeld, com a mesada como prêmio.

6. Usar castigos auto-orientados

Há uma grande controvérsia em torno dos castigos. Algumas pessoas acham que botar as crianças de castigo no quarto transmite-lhes uma mensagem de orientação externa: a de que são tão horríveis que têm de ser removidos da companhia de seus semelhantes. Outras acham que é um meio não degradante e eficaz de disciplinar e que certamente é preferível a gritar e bater. A meu ver, as crianças só devem ser separadas de um grupo quando tentativas razoáveis de fazê-las corrigir seu comportamento dentro do grupo fracassaram. Mais importante ainda: se essa separação tiver de acontecer, o castigo não deve ser um exílio, mas uma "parada para reorganização das tropas" ou "cantinho da reflexão", a fim de que as crianças tenham uma oportunidade de criar o diálogo interno necessário para avaliar e corrigir seu comportamento, ou como uma conseqüência lógica para proteger o grupo de seu mau comportamento.

A reclusão deve ser feita calma e educadamente, para que as crianças não se sintam tentadas a se concentrar em fatores externos, como o quanto nós somos mesquinhos e injustos. Depois de algum tempo, podemos tentar ajudá-las a examinar as causas do castigo. Aí podemos ensinar-lhes a encontrar soluções alternativas para os problemas, bem como formas de evitar que aconteçam de novo. Vamos analisar uma situação em que um castigo poderia ser usado para promover a orientação interna.

Jimmy morde o braço de seu melhor amigo Brandon de pura frustração. A primeira coisa a fazer é mostrar-lhe que compreendemos seus sentimentos, *"Sei que você ficou tão frustrado com Brandon que mordeu o braço dele"* ("uma descrição imparcial").

Depois enunciamos firmemente a regra que esperamos que ele siga: *"Morder não é permitido, Jimmy"* ("dar informações específicas"). Depois pedimos a ele para pensar numa solução alternativa. Se lhe der um branco, podemos ajudar um pouquinho: *"Se você não gostou de alguma coisa que o Brandon fez, talvez possa conversar com ele a respeito do que você sentiu."*

Depois disso, é necessário apresentar uma conseqüência lógica: *"Jimmy, quero que você se sente aqui até se acalmar. Estou preocupada com a possibilidade de você ainda estar com raiva suficiente para cometer o mesmo erro."*

Finalmente, podemos conseguir que Jimmy reconsidere e se corrija: *"Agora eu gostaria que você pensasse em alguma coisa que ajude a aliviar os sentimentos do Brandon."* Caso ele se recuse, vai ter de ficar sentado mais tempo ali para garantir que não vai acontecer outra briga.

Muito provavelmente, uma série de interações como essa basta. Por meio desse diálogo, Jimmy aprende que seus sentimentos não são os únicos a serem compreendidos e que ele tem permissão de expressá-los, desde que o faça sem machucar ninguém. Também aprende a usar sua capacidade de raciocinar para chegar a soluções alternativas e descobrir que todos os seus atos têm conseqüências. No fim, ele tem a oportunidade de consertar o mal que fez. Portanto, Jimmy é instruído sobre a forma de interagir com os outros sem ser separado deles por um período de tempo muito longo.

Suponha que optamos por um castigo "orientado por fatores externos" como, no exemplo anterior, dizer algo assim: "Jimmy! Vá se sentar naquele banco e fique lá quieto por dez minutos. Não quero ouvir nem mais uma palavra sua!". Jimmy provavelmente gastaria esse tempo pensando: "A mamãe não está sendo justa! Ela gosta mais do Brandon que de mim. Ela não ouviu ele me chamar de todos aqueles nomes feios. Tenho ódio do Brandon! Nunca mais vou brincar com ele!". Essa resposta não é, com certeza, o que queremos, porque aqui Jimmy avaliou sua situação como um castigo injusto, transformando-nos – o juiz, o júri e o carrasco – numa influência externa que incita reações dele que vão ditar o curso seguinte de seu comportamento, como se estivéssemos manipulando uma marionete.

Se a primeira abordagem falhar porque Jimmy fica tão histérico ou enfurecido que não consegue sequer ouvir o que temos a dizer, podemos falar algo do gênero: "Jimmy, você parece estar tão louco da vida que não consegue pensar direito. Quero que você se sente aqui no banco a meu lado e dê a si mesmo um tempo para se acalmar. Quando não estiver tão furioso como está agora, talvez possa pensar no que acabou de acontecer entre você e o Brandon e no que você planeja fazer a respeito". Quando a situação vai além e vemos as veiazinhas se estufando no pescoço do garoto, podemos usar o tempo do castigo como uma "cerca protetora", dizendo algo assim: "Jimmy, preciso que você se sente aqui a meu lado para que não se sinta tentado a machucar o Brandon de novo. Você está com tanta raiva que tenho medo que você possa fazer alguma coisa da qual vai se arrepender depois. Quando eu achar que você não vai machucar nenhum de seus amigos, vamos conversar sobre o que aconteceu, e você vai poder brincar com eles outra vez". Se precisar modificar o castigo para aquelas crianças que se recusam a aceitá-lo, você pode segurá-las nos braços e dizer: "Tenho de controlar você até você aprender a se controlar". Esses exemplos implicam usar o castigo como uma conseqüência lógica. Independentemente do tipo de castigo auto-orientado que escolhermos, a primeira abordagem pode ser tentada de novo quando Jimmy estiver calmo.

O limite de frustração de alguns pais é tão pequeno que os castigos são apropriados como a primeira linha de defesa. O mesmo se pode dizer de famílias com um grande número de filhos. Quando você tem um monte de filhos, todos esticando a corda ao máximo e ao mesmo tempo, não é prático sentar-se e manter um diálogo com cada um deles. Nessas circunstâncias, uma das vantagens é que a retirada de uma das crianças para a "parada para reorganização das tropas" dá a esses pais um tempo para *eles próprios* se acalmarem e pensarem no que fazer em seguida. Em resumo, a estratégia de disciplina do castigo funciona para *algumas* situações e para *alguns* pais. Mas não deve ser usada como um substituto para o exemplo dado pelos pais, palavras de orientação ou conseqüências lógicas. Essa estratégia deve ser usada como uma oportunidade para as crianças refletirem sossegadamente sobre seu mau comportamento e para encontrarem soluções práticas ou descobrirem a conseqüência lógica que as separa do resto do grupo (dos pais, inclusive) para que não venham a machucar os membros desse grupo de nenhuma forma.

7. Usar o sistema de nível para os adolescentes

Minha estratégia favorita para disciplinar filhos com mais de doze anos é o sistema de três níveis. Com essa técnica, seu filho adolescente acorda toda manhã no nível três, com todos os privilégios. Se alguma das dez infrações for cometida, como comportamento insolente, desonestidade ou abuso de privilégios, ela ou ele é rebaixado(a) para o nível dois. Nesse nível, todos os privilégios sociais são retirados. Isso significa nada de visitas aos amigos, nada de bate-papo *on-line* e nada de telefone. Se houver mais uma transgressão, ela ou ele é rebaixado para o nível um, que é uma espécie de castigo para adolescentes, porque eles não têm permissão de fazer nada que lhes dê prazer. Isso inclui assistir à televisão, ouvir música, tirar uma soneca, comer salgadinhos ou sobremesa, brincar com "suas coisas" e jogar *videogame*. Ficam estritamente limitados a tomar banho, fazer dever de casa, realizar suas tarefas domésticas, comer no horário normal das refeições, cortar as unhas e ficar olhando para o teto. Pode ser chato, mas realmente os estimula a analisar as conseqüências de seus atos, um exame que depois prepara o terreno para a auto-orientação. Afinal de contas, as infrações e suas conseqüências são bem claras e justas, e não há fatores externamente dirigidos pelos pais, como gritos, de modo que nossos adolescentes não podem reagir com um contra-ataque a fatores externos.

Gosto da idéia de que tudo seja zerado no dia seguinte, porque é difícil manter o controle sobre os castigos que duram uma semana ou um mês e que se multiplicam à medida que suas transgressões aumentam. Com o tempo, esses castigos mais longos deixam os adolescentes frustrados e derrotados. Adotam a atitude de "tanto faz como tanto fez" e assumem o seu lado mal-educado, o que não deixa nenhuma motivação para eles refletirem sobre o erro à sua própria maneira. Por isso, quando os sobrecarregamos com "encarceramentos" aparentemente intermináveis, promovemos sem querer a orientação externa. Para uma visão detalhada desse sistema de níveis, consulte o final deste livro.

8. Apresentar conseqüências lógicas

O foco central de um programa consistente e eficiente de disciplina sempre deve envolver conseqüências naturais e lógicas. As conseqüências naturais são aquelas que não precisam de nenhum envolvimento dos pais. Ficar com fome na hora do almoço é uma conseqüência natural quando a criança se esquece repetidamente de levar o lanche para a escola. Uma conseqüência lógica é aquela que requer o envolvimento dos pais. Por exemplo: quando nossos filhos estão fazendo um de seus irmãos de bobo, não devemos lhes permitir participar de nada que a família esteja fazendo. É lógico, porque essa exclusão protege o resto da família de possíveis abusos verbais. As conseqüências naturais e lógicas são instrumentos disciplinares extremamente eficientes porque incentivam as crianças a usar tanto o autocontrole quanto o diálogo interno para avaliar seu comportamento e seus efeitos. São pressionadas a usar sua capacidade de raciocínio porque as conseqüências fazem sentido no contexto de seu comportamento. Vão sentir que estão tendo o que merecem e essa justiça não lhes dá outra opção além de examinar seu comportamento e tomar todas as decisões conscientes necessárias para evitar sua repetição.

Outras formas de disciplina, como censuras, reprimendas, sermões e críticas, dão às crianças pretextos para ignorar por completo esse diálogo interno e esse raciocínio. Em vez de usar esses instrumentos, tendem a focar a atenção no mundo externo, pondo toda a sua energia em pensar no quanto estamos sendo injustos, frios, impacientes, mesquinhos, medrosos ou ridículos. Para evitar esse foco externo, precisamos apresentar as conseqüências com bondade e respeito, depois sair fora de cena e ter fé de que as coisas vão dar certo. Alguns de nós talvez precisem fechar os olhos e prender a respiração, mas essas conseqüências têm de ser mostradas de acordo com a perspectiva de que nós não somos seus inimigos. Somos sobretudo seus guias e mestres e, aconteça o que acontecer, estamos sempre do seu lado.

Para o processo de raciocínio ter início, as conseqüências precisam fazer sentido. Um erro disciplinar que os pais cometem com freqüência é usar conseqüências sem lógica como um instrumento de disciplina. Em outras palavras, as conseqüências não combinam com o crime. Quando lhes são apresentadas conseqüências sem lógica, os filhos concentram toda a sua raiva e atenção nos pais e na injustiça que estão sofrendo, em vez de pensarem nas suas próprias opções erradas. Quando proibimos um filho de assistir à televisão durante uma semana porque ele nos ofendeu, o castigo não parece ter nenhuma conexão lógica, tanto quanto ele consegue ver. Dizer-lhe que ele vai ter de jantar sozinho no quarto para que o resto da família não seja submetido a seus insultos faria mais sentido. Até mesmo proibi-lo de se encontrar com os amigos seria mais lógico se lhe dissermos que estamos preocupados com a possibilidade de ele fazer as mesmas escolhas erradas com eles. (Evidentemente, a maioria das crianças não ousaria tratar os amigos da mesma forma que trata a própria família, mas podemos criar nossa própria lógica para essa conseqüência, supondo em voz alta que poderiam fazer isso. Em outras palavras, podemos usar a lógica com uma certa flexibilidade quando isso ajudar.) Podemos dizer-lhe que ele pode tentar fazer uma opção melhor amanhã. É importante dar às crianças uma chance de se emendarem e de provarem que podem corrigir seu comportamento inadequado. Dar-lhes uma chance de corrigir e compensar seus erros passa a mensagem de que temos fé em sua capacidade de escolher com sabedoria e de administrar a si e a seu destino, faculdades características dos auto-orientados. Essa atitude permite às crianças sentirem confiança em sua capacidade de analisar as conseqüências que percebem graças a seu diálogo interior. Por conseguinte, faz com que se sintam bem com o fato de se auto-orientarem.

Como disciplinamos e incentivamos nossos filhos talvez seja o fator mais crucial do processo de se tornarem adultos auto-orientados ou orientados por fatores externos.

6
Ajudar a recuperem-se do fracasso

Gente boa é boa porque chegou à sabedoria através do fracasso.
William Saroyan

Acredito piamente que as crianças aceitam seus fracassos com tranqüilidade se acharem que não vão ser julgadas pelos outros. Perguntei a várias das crianças entrevistadas se teriam algum problema em tentar acertar a bola ao cesto numa quadra vazia, mesmo que acertassem menos de 50%. Todas elas disseram que não teriam o menor problema, desde que não houvesse ninguém olhando... aí seria uma outra história. Todas elas afirmaram que se sentiriam constrangidas com seus erros e que provavelmente deixariam de tentar.

Por mais auto-orientados que nossos filhos se tornem, a triste verdade é que nem todos os outros habitantes deste mundo o são. Há pessoas orientadas por fatores externos prontas a sublinhar cada pequeno erro que nossos filhos cometem. Por isso, com o tempo, nossos filhos aprendem a temer o ridículo ou as reprimendas que acompanham o fracasso. Aprendem a usar a avaliação externa como uma forma de auto-avaliação, em vez de utilizar seus erros como informações que vão ajudá-las a considerar internamente suas escolhas futuras.

O fracasso é interpretado pela sociedade como um resultado menos que perfeito, em vez do que realmente é: um degrau para o sucesso, outro resultado em nossa tentativa de alcançar um objetivo, uma oportunidade de aprender. No tocante a nosso crescimento pessoal, ganhamos tanto com nossos fracassos quanto com nossos êxitos e, freqüentemente, mais. A interpretação distorcida de fracasso feita pela sociedade é responsável pela relutância em fazer escolhas, lugar-comum hoje em dia. Depois essa apreensão leva à "paralisia da decisão" ou à decisão habitual de não decidir.

O triste resultado costuma ser raiva, frustração, cinismo ou apatia. Aqueles que temem o fracasso temem assumir riscos e enfrentar aventuras, idéias, experiências e pessoas desconhecidas. Esse medo cria uma população de mal aproveitados, de pessoas com um desempenho abaixo de suas capacidades (aqueles com medo de que suas opções resultem em fracasso) e de perfeccionistas (aqueles que têm medo de que fazer uma opção infeliz vai torná-los menos aceitáveis). Uma raça dessas fica com medo de pensar, porque o produto de seus pensamentos pode levar ao fracasso, que vai enfraquecer sua sensação de ter valor pessoal. Em vez disso, essas pessoas dependem de outras que pensem por elas.

Como pais, podemos criar nossos filhos tanto para aceitar quanto para aprender com os erros que certamente vão cometer, em vez de se deixarem abalar por eles. Podemos ensiná-los a refletir sobre seus erros para poderem crescer, em vez de permitir que esses erros criem reações externas que vão fazê-los definhar. Apresento a seguir o que algumas das crianças entrevistadas disseram em relação a erros, fracassos e formas de lidar com ambos.

Michael, de nove anos: "Quando eu tento alguma coisa que não dá certo, às vezes eu nem termino, nem tento de novo, porque acho que nunca vou conseguir fazer a coisa direito".

Kimberly, de dez anos: "Detesto quando a minha mãe põe a correção dos testes de ortografia no papel depois que acertei quase tudo e ela ignora todos os acertos, mesmo quando eu só cometi um único erro. Me faz achar que ela só gosta de mim quando sou perfeita".

Seguem-se algumas sugestões de orientação interna que podem ajudar nossos filhos a desenvolver a capacidade de se refazer de suas derrotas.

Discutir nossos erros com os filhos

Devemos discutir nossos próprios erros com os filhos, por que cometemos esses erros, qual a responsabilidade que temos por eles e que soluções pretendemos encontrar. Por exemplo: podemos dizer algo como: "Ah, menino, acho que eu não devia ter perdido a esportiva com o meu amigo. Acho que joguei o meu mau humor em cima dele. Vou lá pedir desculpas". Essa declaração mostra a nossos filhos que não temos medo de reconhecer nossos erros, que aceitamos a plena responsabilidade por eles, que temos condições de encontrar uma solução apropriada e que nos recusamos a deixar que eles diminuam nosso valor pessoal. Depois de corrigir o erro, uma boa idéia é expressar toda e qualquer sensação de alívio que tivermos, para que nossos filhos possam ter uma idéia do poder que adquirimos ao enfrentar e resolver nossos problemas sem hesitação. Também seria bom tentar transmitir uma atitude positiva em relação aos erros quando os discutirmos, porque uma atitude de culpa, vergonha, decepção, ressentimento ou sofrimento só vai fazer com que eles temam seus erros ainda mais, e o medo faz o fracasso parecer ameaçador em sua condição de influência externa.

Não negar as oportunidades de brilhar devido a mau comportamento

Nunca devemos negar a nossos filhos algo em que eles primam como uma conseqüência lógica de um mau comportamento. Suponha, por exemplo, que sua filha seja a melhor jogadora do time de hóquei e que esse fato lhe dá muita força interior. Seria um erro castigá-la não a deixando participar do próximo jogo porque ela ficou por aí com as amigas e chegou tarde do treino um dia. É natural e comum os pais fazerem isso, porque acham que é uma forma extremamente eficaz de castigo negar aos filhos algo que eles valorizam enormemente. Por essa razão, muitas pessoas acabam se tornando adultos que nunca vão até o fim nem realizam seus objetivos, porque, quando eram crianças, as coisas de que gostavam eram usadas contra elas como forma de castigo dirigido por fatores externos. Não usam mais o diálogo interno para analisar erros reais ou potenciais e, por isso, deixam de aceitar desafios.

Ensinar as lições que aprendemos com nossos erros

Por mais constrangedor que possa ser, ajuda as crianças contar-lhes o que aprendemos com *nossas próprias* opções erradas e quais foram as conseqüências dessas opções. Podemos discutir candidamente uma experiência anterior com drogas, maus hábitos de estudo, relações sexuais das quais nos arrependemos e assim por diante. Devemos falar sobre as conseqüências que tivemos de suportar, bem como sobre a experiência positiva de aprendizado proporcionada por esses erros. O fato de expormos nossos erros aos filhos mostra-lhes que não ficamos embaraçados com os erros e que estamos dispostos a enfrentá-los e corrigi-los. As crianças também percebem que há lições positivas a serem aprendidas com todo e qualquer erro.

Ensinar o valor das tentativas fracassadas

É importante ensinar às crianças que não há limite para o número de vezes que podem tentar uma coisa. Se tiverem de arremessar quarenta e cinco vezes uma bola de basquete na cesta, qual o problema? Não podem se preocupar com o que os outros vão pensar a seu respeito a cada tentativa fracassada. Na verdade, podemos ensinar-lhes que tentar muitas e muitas vezes é uma medida de perseverança – um atributo característico dos auto-orientados. Afinal de contas, cada tentativa fracassada significa apenas que subiram mais um degrau na escada que as leva a seu objetivo. Podemos até querer dizer a nossos filhos algo assim: "Você está um passo mais perto do sucesso", quando tentativa após tentativa redunda em fracasso. Mas, para evitar que observações desse tipo entrem por um ouvido e saiam pelo outro, precisamos ajudá-los a descobrir tudo o que aprenderam com cada uma das tentativas. Se, por exemplo, seu filho cai quando está aprendendo a andar de patins, talvez aprenda que precisa apertar melhor os cordões em volta dos tornozelos. Se cair de novo, talvez perceba então que precisa soltar um pouco mais os músculos da parte superior do corpo, e assim por diante.

Ensinar a lutar pela excelência pessoal, não pela perfeição

Muitas crianças ficam com vergonha quando não atingem a perfeição. Podemos reduzir essa vergonha de muitas formas. Primeiro, podemos ensinar-lhes que todos temos pontos fortes e fracos. Não podemos esperar que todos num time de futebol sejam zagueiros. Não é realmente o ideal para um time. Precisamos também de bons atacantes, de bons meios-de-campo, de bons goleiros. Em segundo lugar, podemos encorajar nossos filhos a buscar a excelência pessoal, não a perfeição. Não há problema algum em ser imperfeito. Todos somos obras inacabadas, pais inclusive. Portanto, nossa tarefa é insistir com eles para lutar constantemente pelo crescimento pessoal: isso significa que devem tentar melhorar em relação a seu próprio passado, fazer o melhor que puderem para alcançar seus objetivos e celebrar a vitória toda vez. Esse auto-aperfeiçoamento deve ser buscado em nome de sua própria satisfação, e não da aprovação dos outros. Além disso, seu ritmo deve ser governado por sua agenda, não pela dos outros. Em terceiro lugar, precisamos mostrar que estamos felizes quando os outros fazem o melhor que podem. Isso significa que não devemos colocar somente o nosso dever de casa perfeito na porta da geladeira. É uma boa idéia mostrar também o trabalho imperfeito em outros locais da casa, principalmente quando envolveu um grande esforço. Fazer essas coisas ajuda nossos filhos a desenvolver a confiança ao formar seus próprios padrões pessoais de excelência, em vez de achar que precisam se conformar aos padrões estabelecidos pelos outros.

Fazer torneios de erros

Acho utilíssimo pedir aos filhos para pôr no papel todo erro que cometeram desde o momento em que saíram da cama até a hora do jantar. Na verdade, podemos fazer nossa própria lista também. E então, na hora do jantar, cada um descreve o erro com o qual mais aprendeu. Depois que todos terminarem, a família toda pode votar no melhor e dizer por quê. Ei, quantas vezes você pode ganhar a coroa de louros por ter ficado por aí sem fazer nada? Repetindo: esse torneio aumenta a capacidade de aceitar seus erros, porque expõe o lado positivo deles. Essa relação acolhedora com as nossas bobagens prepara um terreno mais favorável para examiná-las com o diálogo interno, de modo que se tornam bênçãos, e não fardos.

Minimizar erros passados

Muitos pais e mães esfregam os erros dos filhos no nariz deles, ou repisam constantemente fracassos antigos. Suponho que fazem isso porque eles próprios se sentem constrangidos com esses erros. Talvez os façam lembrar de erros semelhantes que eles próprios cometeram. Podem pensar algo como: "Timmy foi mal em Álgebra! Ai, que mãe horrível que eu sou! Eu devia ter contratado um professor particular para ele. Agora ele vai ser péssimo em Matemática exatamente como eu fui". Os sentimentos de fracasso dos pais e mães podem ser tão avassaladores que eles acham que devem castigar os filhos por cometer aquele erro. Quanto mais esses pais e mães se concentram no fracasso do filho, tanto menos responsáveis eles próprios vão se considerar. Outros pais esfregam os fracassos dos filhos no nariz deles porque acham que assim vão ajudá-los a não repetir o erro. Ledo engano! Claro, eles não vão repetir o erro porque provavelmente nunca mais vão assumir aquele risco outra vez. Essas crianças passam a ver os erros como fatores externos dos quais devem fugir e se esconder. Nunca ousam explorar seus fracassos com o diálogo interno, porque fazer isso seria como abrir uma velha ferida e derramar um balde de água salgada em cima dela. O triste resultado: crianças que não utilizam todo o seu potencial, um resultado para o qual os pais costumam contribuir.

Ensinar "tolerância familiar" sem reagir de forma exagerada aos erros

Embora costume ser difícil, principalmente quando nós mesmos nos sentimos frustrados, é importante não perder as estribeiras quando nossos filhos cometem erros. Se quisermos que eles adquiram "tolerância ao fracasso", precisamos minimizar realmente seus erros. Na verdade, a menos que eles próprios queiram discutir seus erros, eles não precisam ser trazidos à baila, a não ser que a situação seja potencialmente perigosa. Nossos filhos já têm uma dificuldade bem grande de perceber que um erro foi cometido e provavelmente já tiveram de passar por suas conseqüências naturais. A interferência dos pais pode simplesmente impedi-los de mergulhar naquele saudável diálogo interno, tão vital para a auto-orientação. Se eles próprios tomarem a iniciativa de nos pedir conselhos ou consolo, podemos lhes dizer o quanto são incríveis simplesmente por tentar fazer uma coisa dessas e apontar o bem que pode resultar disso, inclusive as coisas que fizeram certo no meio da tentativa fracassada.

Incentivar os erros

Podemos até chegar ao ponto de incentivar os erros de nossos filhos para que eles percebam que são oportunidades positivas de crescimento em vez de algo que arrasa com sua auto-estima. As crianças têm de aprender a encarar as adversidades: "O que isso tem a me ensinar? Como isso pode me ajudar a crescer?". Assim vão desenvolver autoconfiança, orgulho e a sensação de que podem fazer tudo o que quiserem. Chego ao ponto de encorajar meus filhos a cometer pequenos erros em áreas que não são extremamente importantes para eles. Por exemplo: um de meus meninos inscreveu-se num curso de acrobacia e malabarismo quando tinha apenas cinco anos. Estava intimidado e sabia disso! Mas, como não ser o maior acrobata do universo não era o fim do mundo para ele, teve a oportunidade de experimentar e se refazer da derrota sem ficar emocionalmente arrasado. Não lhe parece que foi mais um sucesso que um fracasso?

Incentivar a independência

Ficamos surpresos com a capacidade de nossos filhos. Muitos pais e mães não têm a menor idéia da magnitude do potencial de seus filhos, de modo que só os expõem a desafios que prometem um certo sucesso e saem correndo para ajudar naqueles que apresentam qualquer dificuldade séria.

É importante ter fé em nossos filhos, tanto no sentido do êxito quanto de enfrentar com dignidade as suas derrotas. Podemos começar incentivando-os a fazer as coisas sozinhos sempre que possível e estimulando-os a assumir desafios nos quais podem fracassar. Devemos resistir à tentação de ajudá-los quando estão lutando e evitar impedi-los de tentar fazer coisas que achamos difíceis demais para eles, porque isso transmite a mensagem de que eles são incompetentes e não conseguem se virar sem ajuda. Quando Sarah, de dois anos, enche a xícara de leite ao ponto de derramar, a mamãe não deve tirar-lhe o bule da mão e terminar o serviço. Deve deixá-la derramar o leite! Depois deve chamar a atenção para as partes da tarefa que fez direitinho e pedir-lhe para limpar a sujeira. Na verdade, sempre que as crianças estão tendo dificuldade em fazer alguma coisa, acho extremamente eficiente observar o que estão fazendo certo, em vez de mostrar o que estão fazendo de errado. Assim elas começam a se concentrar mais em seus êxitos do que em seus fracassos.

O resultado final é que precisamos ter confiança em nossos filhos. São realmente mais capazes do que julgamos. Nascem nesse mundo com autoconfiança. Se tivermos fé neles, eles vão preservar essa autoconfiança e não vão traduzir as possibilidades de fracasso como uma influência externa a ser evitada.

Separar os fracassos da auto-estima

Nossos filhos podem aprender que existe diferença entre fracassar numa tarefa e fracassar como pessoa. Podemos começar dizendo que devem valorizar o fato de terem tentado.

Quando minha irmã, uma dedicada jogadora de tênis, perde uma partida, diz o seguinte: "Não perdi. Só que o meu tempo acabou antes de eu encontrar uma solução". Adoro essa filosofia, porque se concentra mais na tentativa do que no resultado e implica a idéia de que podemos realizar tudo o que quisermos, desde que tenhamos tempo suficiente e trabalhemos duro. Sugere também que há soluções para todo problema. Só temos de perseverar pelo tempo necessário para encontrá-las. Essas mensagens ajudam nossos filhos a definir o fracasso como algo distinto de sua pessoa. Definem o fracasso como uma experiência, algo com o que podem aprender, algo que podem resolver e que resulta de suas opções, e não de sua identidade ou personalidade.

Aceitar o sofrimento como uma coisa boa

Muitas vezes protegemos nossos filhos de seus fracassos porque não gostamos de vê-los sofrer. Mas esse tipo de atitude os prejudica porque transforma erros e fracassos em influências externas, em vez de um estímulo para o diálogo interno que pode promover seu desenvolvimento pessoal. Precisamos deixar que sofram para poderem aprender a lidar com o sofrimento. Na verdade, não há nada que podemos fazer para evitar que sofram de vez em quando. Embora inevitável, o sofrimento ajuda a desenvolver a tolerância, a confiança e a compaixão. Lembro-me de observar meu filho e seus coleguinhas em plena atividade em sala de aula através de um espelho que permite a visão do outro lado. Sua classe de segunda série era muito diferente da escola pública da qual havia sido transferido, porque toda criança tinha alguma dificuldade de aprendizado, variando de moderado a grave. A maioria tinha lutado durante toda a sua curta vida com a derrota constante, com zombarias das outras crianças e com o desprezo dos professores que não tinham compreendido bem a sua situação. O que vi foi algo realmente extraordinário. As crianças eram incrivelmente piedosas umas com as outras. Quando uma delas estava tendo dificuldade com alguma coisa, as outras ajudavam e lhe davam os parabéns por seu trabalho árduo e por tudo o que tinha feito certo naquela tarefa. Um menininho estava lutando para terminar seus exercícios de Matemática em classe. Quando finalmente conseguiu, os outros foram deliberadamente até sua carteira, deram-lhe tapinhas nas costas e elogiaram o bom trabalho que havia feito. O nível de ternura, carinho e compreensão era muito superior ao que eu tinha visto num grupo de crianças "normais", para não falar de grupos de adultos. No final do período de observação, senti-me profundamente agradecida pelo esforço de meu filho, porque comecei a perceber que seu sofrimento poderia ensiná-lo a ter compreensão e compaixão pelos outros.

Devemos tentar lembrar que o sofrimento pode ser uma dádiva maravilhosa para nossos filhos. Devemos ter fé de que eles vão enfrentar o sofrimento sem definhar; dar-lhes nosso amor e aceitação incondicionais e assegurar-lhes que podem chegar às coisas boas que o sofrimento tem a oferecer. Também podemos fazer tudo o que pudermos para orientar nossos filhos para que entendam por que sofrem, que benefícios podem obter do sofrimento e como se livrar desse sofrimento em vez de se tornar vítima dele.

7
Ajudar a enfrentar as influências do mundo externo

A adversidade é o primeiro passo para a verdade.
Lord Byron

Este tempo em que vivemos é realmente muito especial. É claro que agora temos vantagens com as quais nunca sonhamos antes. Eu, por exemplo, não tenho do que reclamar. Mas, às vezes, acho que os avanços tecnológicos da sociedade são maiores do que seus ganhos em termos de desenvolvimento moral e do bom e velho bom senso. No processo, perdemos a ordem adequada das prioridades, o comprometimento com os valores, a dignidade e auto-respeito coletivo, a autonomia e, por fim, a capacidade de exercer o livre-arbítrio sem incerteza ou medo.

Agora está na hora de lutarmos contra toda influência externa negativa que possa tirar nossos filhos da meta de auto-orientação. Apresento a seguir algumas das piores influências que talvez tenhamos de enfrentar e vencer.

Drogas e álcool

Um de nossos maiores medos, como pais, é que nossos filhos possam ser atraídos por aquele temível pesadelo das drogas e do álcool, ou serem vítimas de outras pessoas que sucumbiram a essas coisas. E esses temores têm sua razão de ser, porque nossos filhos certamente serão expostos a esse tipo de influência. Será que vão fazer as opções certas graças à sua orientação interna, ou vão ceder sob o peso formidável de influências externas como a pressão dos amigos? É o que vamos discutir a seguir.

Em primeiro lugar, por que as crianças caem nessa armadilha? Andrew, treze anos: "A pressão dos amigos leva o pessoal para as drogas e para a bebedeira, mas às vezes é só curiosidade sobre o que é que essas coisas vão fazer a gente sentir. Por exemplo, você está numa festa, certo? Alguém pode lhe perguntar: 'Você quer experimentar isso aqui?' e todo o mundo está olhando para você, esperando para ver sua reação". Anônimo, quinze anos: "Existem milhares de razões para os adolescentes se meterem em apuros com drogas e álcool. Primeiro, sabem que não é permitido e, por isso mesmo, essas coisas os atraem, e eles querem dar a impressão de que são 'modernos' e adultos. Alguns só querem se esquecer de tudo, pois estão tristes ou se sentem fracassados. Talvez se sintam uns inúteis".

Eis aqui oito possíveis razões pelas quais as crianças se envolvem com drogas ou álcool:

1. Sensação de impotência.
2. Pressão dos amigos.
3. Testar seus limites: quando a identidade falsa que alguns adolescentes assumem para satisfazer a sociedade não as preenche, usam meios artificiais para descobrir quem são realmente.
4. Cansaço provocado pelo esforço de manter a fachada: alguns adolescentes ficam tão cansados de manter uma fachada para obter aceitação do mundo externo que procuram algo que lhes possibilite relaxar.
5. Fuga das pressões: outros tentam escapar da roda-viva que não os leva a parte alguma.
6. Grito de socorro.
7. Vingança: algumas crianças punem os pais e outros que as obrigaram a se conformar a regras que não fazem sentido para elas.
8. Curiosidade.

Se você está criando seus filhos para que sejam auto-orientados e está dando todo o seu apoio e o amor incondicional de que precisam, é pouco provável que recorram às drogas ou ao álcool. Eis aqui algumas sugestões para ajudá-los a se manter a uma distância segura dessas coisas:

• Os pais precisam ser um modelo de comportamento, ou seja, não devem usar drogas. Não faz sentido fazer longos sermões sobre os perigos das drogas pesadas enquanto fuma um baseado. Lembre-se: as coisas têm de fazer sentido e ser significativas para que o diálogo interior das crianças seja claro, eficiente e viável.

- O álcool deve ser consumido de maneira sensata e parcimoniosa, se for consumido. Os pais não devem chegar em casa trocando as pernas depois de um jantar na casa de amigos. Não devem ficar tomando latinhas de cerveja quando estão dirigindo na estrada. Mais uma vez, dois pesos e duas medidas confundem as crianças a tal ponto que elas nem sequer vão se dar ao trabalho de começar um diálogo interno para explorar suas opções. E, nesse vazio, as influências externas certamente se estabelecerão firmemente.
- É uma boa idéia representar situações de pressão dos amigos com os filhos. Vão acabar lhes oferecendo drogas, álcool ou ambos. Bem, queremos que trabalhem no sentido de fazerem boas escolhas por meio da auto-orientação. Queremos que suas escolhas sejam suficientemente ensaiadas para se tornarem automáticas.
- Podemos proibir nossos filhos de assistir a filmes ou programas de televisão que mostrem abuso de drogas como algo normal, ou até um estilo de vida que está na moda. Não queremos que eles aceitem a idéia de que as drogas vão fazê-los parecer "modernos". Esse tipo de modelo só os condiciona a ver os usuários de drogas como os desbravadores que levam para aquela estrada acidentada da orientação externa.
- Precisamos discutir as drogas e o álcool com nossos filhos adolescentes antes de eles obterem informações de outras fontes. As perguntas podem estimulá-los a desenvolver um diálogo interno. Eis aqui algumas perguntas simples:

"Por que você acha que o pessoal da sua idade usa drogas e se embebeda?"

"Que tipo de problemas físicos, emocionais e mentais você acha que o uso de drogas pode acarretar?"

"Quais as conseqüências legais de um envolvimento com drogas?"

"Como você acha que vai reagir quando alguém tentar convencê-lo a experimentar drogas ou álcool? O que vai dizer à pessoa?"

"Você acha que é um sinal de força ou de fraqueza recusar esse tipo de oferecimento?"

"Você tem algum amigo que apóie sua decisão de se abster?"

"Que mudanças haveria na sua amizade com alguém que usa drogas e álcool de vez em quando ou tenta convencê-lo a experimentar?"

"O que você faria se alguém que você conhece estivesse usando drogas ou se embebedando?"

"Você teria curiosidade em relação ao que as drogas e o álcool podem fazer você sentir?"

• Se nossos filhos fizerem uma escolha errada, precisamos apresentar conseqüências lógicas muito claras e que tenham um impacto duradouro. Podemos retirar seu privilégio de dirigir o carro. Não há nada como sair por aí num velho par de patins para convencê-los de que estamos falando sério. Podemos proibi-los de se encontrar com os amigos por um tempo. Estamos falando de meses aqui, gente, não de dias ou semanas. Se protestarem insistentemente, tanto pior. Tudo o que podemos fazer é dizer-lhes que não estamos dispostos a pagar para ver quem de seus amigos está envolvido com drogas e quem não está, de modo que todos os amigos são tabu até eles começarem a se comportar direito. Nossos filhos vão entender a justiça e adequação dessas conseqüências, mesmo que seja apenas nos recessos mais íntimos de sua consciência. E se também deixarmos claro que temos fé de que podem fazer escolhas melhores no futuro em relação ao abuso de drogas, eles vão nos respeitar por nossa firmeza e refletir internamente sobre qual direção vão tomar na encruzilhada da próxima vez. Se equilibrarmos a firmeza com manifestações de amor e compreensão, não haverá problema. Ao mesmo tempo, precisamos examinar nossas relações com os filhos. Será que estamos lhes dando todo o apoio e amor incondicional de que precisam? Será que nossas regras e limites são claros e justos? Impomos essas regras e limites de forma coerente e lógica?

A violência entre as crianças

Por que as crianças recorrem à violência? As crianças que entrevistei citaram muitas vezes a *frustração e a raiva que surgem da inadequação* como a razão mais forte. Esse desejo remonta ao simples fato de que os seres humanos têm duas necessidades principais – *sobreviver* e *fazer parte de um grupo*. Muitas vezes essas necessidades andam de mãos dadas, e quando a violência é vista como uma forma de sobreviver ou uma forma de fazer parte de um grupo, estamos em apuros. Para descobrir o que podemos fazer como pais e como membros da comunidade, precisamos compreender as influências externas que contribuem para a violência dos jovens:

1. Modelos ruins de pais e de outras pessoas à sua volta.
2. Violência mostrada em filmes e programas de televisão.
3. Pouco controle dos impulsos.

4. Falta de um papel significativo dentro do grupo: muitas crianças se consideram um apêndice da sociedade: totalmente dispensáveis. Às vezes, atos de violência fazem com que se sintam mais poderosas – como se estivessem gritando: "Estou aqui, seus idiotas! Vou lhes mostrar que sirvo para alguma coisa!".
5. Carência.
6. Medo dos outros que são diferentes: unir-se contra "os inimigos" que são diferentes dá aos membros do grupo aquela sensação de fazer parte de algo maior. Entra a consciência negativa de fazer parte de um grupo à esquerda do palco.
7. Consciência de grupo negativa: "conformidade" em relação à violência cometida contra um inimigo comum, tanto de outra raça quanto de outro grupo, é o fio desgastado que mantém a coesão de um grupo violento.
8. Perda de poder quando a sociedade os ignora.
9. Falta de responsabilidade.

Será que existe alguma coisa que podemos fazer para evitar que nossos filhos sucumbam à violência? Eis algumas formas de auto-orientação que podem ajudar a aumentar a superioridade de nossos filhos:

• Podemos limitar a exposição de nossos filhos a filmes ou programas de televisão que contenham cenas de violência.
• Podemos ajudar nossos filhos a desenvolver o autocontrole sendo coerentes como disciplinadores e a desenvolver o controle dos impulsos fazendo-os esperar pelas coisas que desejam.
• Podemos discutir a questão da violência com eles. Fazer-lhes perguntas ajuda-os a desenvolver o diálogo interior. Representar situações envolvendo violência potencial também pode ajudar nossos filhos a ensaiar as opções internas que podem ter de acabar fazendo.
• Podemos exercitar o autocontrole. Nada de bater, espancar, gritar, berrar, xingar, dar tapas na cara, falar palavrões, etc. Nosso próprio comportamento pode servir de modelo de adiamento de gratificação.
• Podemos ensinar nossos filhos a resolver seus conflitos pacificamente. Precisam aprender que a violência NUNCA é uma solução aceitável para um problema!
• Quando nossos filhos cometem atos de violência, as conseqüências lógicas devem ser apresentadas.

- Precisamos instilar valores como responsabilidade, confiabilidade, respeito à vida, bondade, autodisciplina e paciência. Esses valores lhes dão informações importantes que podem servir de pontos de referência ao construir o diálogo interno em seu benefício.

A tecnologia moderna

Construímos nossa sociedade tecnológica extremamente avançada sobre uma base de orientação externa e as soluções instantâneas vindas de fora tiveram uma ênfase exagerada. Se não compensarmos essa tendência com um pouco de auto-orientação, vamos ter muitos problemas pela frente.

Como a orientação externa está por trás da cobiça por lucros e como essa cobiça é grande parte daquilo que impulsiona o "progresso" da sociedade, permitimos uma certa irresponsabilidade e falta de obrigações sociais. Por essa razão, temos problemas de escala mundial, como desmatamento, destruição da camada de ozônio, guerras nucleares, poluição das águas e a substituição da imaginação e da criatividade pela diversão passiva.

A tecnologia, graças a seus avanços na comunicação, expôs-nos a uma quantidade enorme de informações. O resultado disso é que nossos filhos são excessivamente bombardeados por influências externas e, em consequência, estão mais vulneráveis a elas. A diversão eletrônica passiva como jogos de computador, navegação pela Internet e salas de bate-papo é vista por muitos pais e mães como babás eletrônicas: "Tommy está quietinho lá no seu quarto jogando Nintendo. Ai, que bom! Isso me dá tempo suficiente para tirar as sobrancelhas e fazer as unhas. Está tudo bem com ele". Sim, e vai continuar tudo bem enquanto ele visita aqueles *sites* de pornografia!

Um entrevistado disse: "Cara, se os meus pais sonhassem com os *sites* que visito na Internet, teriam uma parada cardíaca. É tudo *site* barra pesada. Tranco a porta do quarto e começo a navegar. Eles não têm a menor idéia e vou continuar nessa, tá na cara. Você não vai contar para eles, vai? Isso aqui não é confidencial? Não estou a fim de agüentar sermão, nem nada do gênero". Para você ver: os pais nem sonham.

Mas não desligue o computador ainda, porque a tecnologia pode ser uma dádiva em vez de um problema. Só precisamos ensinar nossos filhos a usá-la com responsabilidade – de acordo com seus próprios valores e tendo em mente o bem-estar da humanidade a longo prazo. Precisam pensar, em vez de reagir.

Há muitas formas de criar os filhos para que tenham uma relação saudável e responsável com a tecnologia avançada.

Ajudar o diálogo interno sobre a responsabilidade tecnológica

Precisamos criar nossos filhos para que compreendam que a tecnologia só deve ser usada se não for a expensas de outras coisas ou pessoas. Através de perguntas e respostas, podemos ajudá-los a fazer seu diálogo interno a respeito dessa questão.

"O que você entende por usar o computador de maneira saudável?"

"Quanto tempo você acha que as crianças de sua idade devem ficar brincando com jogos de computador ou com *videogames*?"

Apresentar as conseqüências da irresponsabilidade tecnológica

Sempre preste atenção aos *sites* que as crianças visitam na Internet. Se tiver que vigiá-los, vigie-os agora! Quando descobrimos que transgrediram as regras, devem enfrentar as conseqüências lógicas, como perder o privilégio de usar o computador durante algum tempo. Repetindo: essa conseqüência vai fazê-los reavaliar suas opções. O mesmo se aplica a outros atos de irresponsabilidade eletrônica, como exagero no uso dos jogos, bagunçar os programas, etc.

Apoiar causas tecnologicamente responsáveis

Podemos incentivar as crianças a apoiar causas que defendem e protegem os interesses de nosso planeta, principalmente quando esses interesses estão ameaçados pela ganância, pela falta de visão e pela indiferença que a tecnologia às vezes cria:

"O que você acha da forma pela qual nossos líderes estão enfrentando os problemas ambientais?"

"O que você acha de substituir a diversão eletrônica por outras formas mais criativas e ativas de diversão?"

"Você tem algum interesse em apoiar alguma causa tecnológica ou ambiental?"

A humanidade pode se valer da tecnologia para estabelecer uma relação harmoniosa com os seus, mantendo um compromisso com os valores morais e os interesses espirituais. Essa relação é possível se alimentarmos em nossos filhos o sentimento de responsabilidade por todo o planeta.

Viver com pressa

A agenda superlotada programa a gente para se concentrar somente em coisas externas, como tarefas e atividades programadas, um foco que acaba nos alienando de nosso eu interior. E quando os filhos seguem nosso exemplo, não desenvolvem nem praticam sua capacidade de reflexão. É muito mais rápido e fácil reagir do que pensar e responder.

Por que criamos uma vida dessas para nossos filhos e para nós mesmos? Muitas são as razões, todas bem pouco convincentes. Primeiro, realizar aquela longa lista de coisas que vão nos garantir um lugar ao sol requer todo momento de folga. Segundo, hoje em dia as opções são tantas... Há cem anos, brincar de pega-pega significava que você tinha chegado ao máximo no tocante a diversão. Agora temos praticamente todas as formas imagináveis de dar prazer a nosso corpo e mente. Infelizmente, continuamos com o mesmo dia antiquado de vinte e quatro horas. E, pode crer, usamos quase todos os segundos com coisas triviais. Uma das perdas dessa guerra contra o tempo é, portanto, tempo de qualidade passado com os filhos – tempo discutindo valores, idéias, lembranças e sentimentos, e tempo ajudando-os a chegar a suas próprias opções e idéias por meio do diálogo interno. As crianças acham suas agendas superlotadas estressantes. Uma menina de treze anos disse: "Quando tenho coisas demais a fazer, fico muito tensa e não consigo dar o melhor de mim na escola".

Vamos examinar algumas formas de garantir a nossos filhos o tempo de que precisam para a orientação interna.

Agenda mais leve

Em primeiro lugar, podemos tentar não sobrecarregar a agenda deles. Vejo muitas crianças estressadas com os dias lotados com treino de futebol, aulas de matemática pelo método Kumon, *tai kwan do*, balé, etc. As crianças precisam de tempo para pensar se quiserem tornar-se auto-orientadas.

Relação mais profunda

A vida apressada que levamos com nossos filhos muitas vezes torna nossas relações com eles mais superficiais. Mas um vínculo profundo é essencial para ajudá-los a se tornar auto-orientados. Quanto mais próximos se sentirem de nós, tanto mais respeito terão por nós, o que nos permite educá-los de maneira mais eficiente. Além disso, uma relação mais íntima nos dá mais contato – mais tempo para ensiná-los a criar e usar o diálogo interno. Portanto, eles podem ter de desistir das aulas de piano ou do treino de beisebol. Substitua essas atividades por brincar de pega-pega no quintal ou pela discussão de nossas idéias e filosofias com eles.

Outra forma de nos tornarmos mais íntimos é estar mais à disposição deles para ajudá-los. Se nos pedirem para ler-lhes uma história quando estamos ocupados lendo o jornal, devemos nos perguntar: "O que é mais importante agora?". Claro que essa técnica não significa que a gente tenha de sair correndo e gritar "Sim, senhor, às ordens!" a cada pedido deles, mas precisamos parar e pensar em seus sentimentos antes de dispensá-los irritada ou distraidamente.

Menos velocidade

Uma forma de diminuir a velocidade é limitar as vezes que dizemos "Ande logo com isso, estou com pressa!". Eu, por exemplo, reduzi de 2.340.900 para 105 vezes por dia. Está bom para um iniciante, não? Como esperar que nossos filhos reflitam sobre suas opções quando estão sendo bombardeados com essas palavras o tempo todo?

Também podemos encorajar todos (nós mesmos, inclusive) a falar mais devagar e com mais calma. As crianças precisam de intervalos entre as conversas para desenvolver o diálogo interno.

Mais tempo para a disciplina

Às vezes nossa vida está tão corrida que não há tempo para uma disciplina consistente. Mas a disciplina é crucial para o desenvolvimento do diálogo interno, que vai ajudar nossos filhos a fazer opções auto-orientadas em termos de comportamento. A disciplina consistente requer um esforço consciente e às vezes exaustivo de nossa parte, principalmente quando nossa vida está cheia de atividades, mas é vital para criar gente auto-orientada.

Uma vida autêntica

Às vezes, vivemos a vida de nossos filhos em seu lugar, em nome da comodidade. Afinal de contas, podemos fazer as coisas muito, muito mais depressa. É mais fácil lavar a louça do café-da-manhã quando o ônibus escolar está descendo a rua do que ensiná-los a administrar seu tempo de maneira mais eficiente, ensinando-os a terminar suas obrigações, mesmo que isso signifique perder o ônibus e ir a pé para a escola. Mas nossos filhos precisam viver suas próprias opções e conseqüências, se quiserem aprender a desenvolver o diálogo interno.

Consumismo x simplicidade

Em vez de lutar para apenas ser, muitos escolheram o caminho do consumismo para satisfazer o desejo de ter. Acreditamos que, para sermos felizes, temos de acumular tantas "coisas" quantas pudermos. E o fato de a sociedade respeitar aqueles que têm o maior número de brinquedos promove essa mentalidade. Eis o que algumas crianças dizem sobre a pressão para comprar:

"Se você não tem o melhor e as pessoas com quem você anda têm, você acha que vão ridicularizá-lo e rejeitá-lo!"

"Ser aceito é que é o grande motivo por trás da 'gastação' de dinheiro e de ser mimado. Você gasta um monte de grana tentando se parecer com uma daquelas pessoas populares, que é quem você gostaria de ser."

Como educar nossos filhos para serem motivados por coisas mais simples, mais espirituais, para que possam aprender a valorizar mais as influências internas do que as externas? Seguem-se algumas sugestões.

As pessoas são mais importantes do que as coisas

Precisamos fazer nossos filhos se sentirem amados e seguros, aconteça o que acontecer. Quando quebram acidentalmente nosso vaso predileto ou derramam suco de uva em todo o carpete, é uma oportunidade de ouro para eles ficarem sabendo que são mais importantes do que qualquer coisa que estragarem – essas coisas podem ser substituídas, mas nossos filhos não.

Menos ênfase nos bens materiais

Logo que me tornei mãe, eu trabalhava tantas horas como médica que me sentia culpada por não ter tempo suficiente para meus filhos, de modo que procurava compensar cobrindo-os de presentes e guloseimas. Logo eles passaram a esperar por essas coisas, com as quais eu os estava estragando. Quando tomei a decisão de parar com esse tipo de comportamento, fiquei preocupada com a reação deles. Mas quer saber? Para eles foi ótimo! Na verdade ficaram mais felizes, porque sentiram que eu dava mais valor a eles que às coisas. Presentes demais são um atraso para o estado de espírito das crianças, porque o que elas realmente querem é contribuir e dar, em vez de só receberem o tempo todo.

Aniversários menos consumistas

Quando meus filhos fazem festa de aniversário, insiro uma nota nos convites que diz o seguinte:

"Não é necessário trazer presentes, porque o prazer de sua companhia é o maior presente que você pode me dar. Se realmente quiser me dar alguma coisa, por favor traga um livro novo ou usado sem papel de presente para eu doar à biblioteca da escola."

Quase fiquei em estado de choque quando meus filhos não reclamaram nem se queixaram dessa sugestão. Na verdade, todos foram a favor dela. E quando levaram aqueles livros para a biblioteca, estavam quase explodindo de tanto orgulho. Mais tarde, para ajudá-los a refletir internamente sobre essa atitude, perguntei-lhes como se sentiam dando um presente em comparação a recebê-lo. Todos eles preferiam dar a receber. Podemos ensinar nossos filhos que as festas de aniversário são para a gente encontrar os amigos e passar belos momentos juntos, não para "tirar a sorte grande".

Felicidade sem ter tantas coisas

Muito provavelmente nossos filhos não vão ter nenhum problema se passarem longe das últimas tendências de moda. A seguir estão algumas formas de contornar o fenômeno "tenho de ter", que obriga nossos filhos a tomarem o caminho da orientação externa:

• No tocante a roupas, nossa obrigação é cobrir o corpo de nossos filhos, não decorá-los.

• Podemos ensinar nossos filhos a criar algo novo de uma coisa velha, em vez de deixá-los sair correndo para comprar os artigos mais recentes e mais incrementados.

• Também podemos ajudá-los a encontrar formas de criar e curtir a simplicidade com prazeres gratuitos, como um piquenique no quintal ou um jogo de futebol com os amigos no beco perto de casa.

• Podemos incentivá-los a refletir sobre o prazer que obtêm com esses tipos de experiência em comparação com comprar ou ganhar um presente novo.

Reflexão sobre suas compras

Quando nossos filhos cedem às tentações de comprar um brinquedo novo, podemos esperar algumas semanas e depois perguntar-lhes se ainda estão curtindo muito o tal brinquedo. Duvido que estejam. Na verdade, provavelmente já está juntando poeira num canto do armário. Por meio dessa reflexão interna induzida, nossos filhos podem descobrir a insatisfação suprema que a gratificação imediata lhes traz.

Modelo de simplicidade com sua própria vida

Precisamos deixar claro para eles que *status*, bens materiais e dinheiro não são as coisas mais importantes da vida. As crianças de famílias com sorte bastante para ter segurança ou riqueza financeira devem entender que os bens materiais são um subproduto — e não a causa — da felicidade, e são coisas a serem divididas e desfrutadas com os outros.

Sexualidade

Hoje, graças à mídia, o sexo geralmente está relacionado a poder, domínio e imagem. Em outras palavras, *a sexualidade transformou-se numa influência externa*. Essa influência levou nossos jovens a se concentrarem mais na imagem corporal e menos no bom caráter e nas qualidades morais, porque a sensualidade é apenas mais um dos muitos pré-requisitos que têm de satisfazer para conseguir a aprovação de seus iguais. Eis algumas observações de nossos entrevistados:

> "A gente vê coisas sobre sexo na televisão e achamos que é assim que é a vida e que é isso que devemos fazer. A pressão da turma também é um motivo bem forte."

"Acho que a curiosidade e a pressão dos amigos estão por trás de toda essa história de sexo. Quer dizer, você fica curioso para saber como é o sexo e tudo, e seus amigos acabam pressionando; pronto, está aí a desculpa de que você precisa."

A seguir estão algumas formas de assegurar uma sexualidade saudável e auto-orientada para nossos filhos:

Discutir o que realmente está em jogo

Podemos ensinar nossos filhos que o sexo é a expressão suprema do amor entre duas almas. Deixe claro para eles que, nesse sentido, o sexo é natural e belo. Não se trata de fatores externos e efêmeros, como imagem, poder e controle. Também podemos lhes dizer que o sexo não é uma forma de escapar ao tédio e que não representa uma busca de prazer somente através dos cinco sentidos.

Em defesa do recato

O recato deve ser defendido como algo que dá vida ao erotismo, em vez de suprimi-lo. Podemos incentivar nossos filhos a preservar o recato porque pode lhes poupar o tempo de que precisam para fazer sábias opções auto-orientadas em relação a seu comportamento sexual. Como pais, devemos encorajá-los a mostrar recato tanto no comportamento quanto nas roupas.

Para ajudá-los a desenvolver o diálogo interno de que precisam para fazer as opções certas, podemos usar o método de pergunta e resposta:

"Se os adolescentes da sua idade não tentarem usar a sensualidade, como os outros vão reagir?"

"O que você pensa quando vê alguns de seus amigos tentando conscientemente parecer supersensuais e agir da maneira mais sensual possível? O que isso tem a ver com as relações sexuais que esse comportamento acaba sugerindo?"

"Você acha que a pressão para ser sensual faz bem ou mal nas relações com o sexo oposto?"

"Você acha que suas amigas tentam ser sensuais por quererem sexo? Se não é por isso, quais são os motivos?"

Representar situações também pode ser válido para ajudá-los a descobrir formas de superar obstáculos como a pressão dos amigos no tocante a sexo ou o ridículo no tocante ao recato.

A amizade com o sexo oposto

Ser capaz de estabelecer e manter amizades saudáveis com o sexo oposto possibilita às crianças ver os outros como pessoas, e não como objetos sexuais. Assim, elas vão se sentir menos inclinadas a perceber o sexo oposto como uma influência externa despersonalizada à qual têm de reagir.

Modelos de expressões saudáveis de sexualidade

É importante criar modelos de afeição e intimidade com nosso cônjuge na frente dos filhos. Não devemos esconder nossos abraços românticos, nem aquelas vezes em que dançamos ao som de uma música lenta na cozinha, nossos beijos apaixonados, nem aqueles longos olhares cheios de significado.

Os riscos da irresponsabilidade sexual

Precisamos educar nossos filhos sobre as desvantagens e perigos da irresponsabilidade sexual, estimulando-os a analisar seus riscos por meio de perguntas:

"O que você acha que aconteceria se a sua namorada engravidasse?"

"De quem seria a responsabilidade por essa criança?"

"Onde você ia morar?"

"Como faria para terminar os estudos e alimentar mais uma boca ao mesmo tempo?"

"O que pode acontecer se você fizer sexo inseguro?"

"O que faria se pegasse uma doença sexualmente transmissível?"

A melhor hora para fazer essas perguntas é antes de serem necessárias. Senão os filhos vão considerar nossas perguntas um ataque a seu comportamento sexual do momento.

Discutir as próprias opções sexuais do passado

Acho que isso pode ser difícil, mas é importante discutir nossas opções sexuais do passado – os arrependimentos, as pressões envolvidas nas más escolhas e assim por diante. Expor nosso próprio diálogo interno ajuda os filhos a desenvolver o seu. E eles não precisam reinventar a roda, repetindo os erros que cometemos.

Evitar filmes e programas de televisão com uma idéia deformada da sexualidade

Devemos proibir os filhos de assistir a filmes ou programas de televisão nos quais os heróis e heroínas são reverenciados por sua precocidade e bom desempenho sexual. Uma alternativa melhor: filmes e livros de Jane Austen ou Charlotte Brontë, e outras fontes que mostram e respeitam o recato e a responsabilidade sexual. Nosso principal objetivo não é tornar nossos filhos assexuados, e sim conseguir com que eles façam opções sobre a sexualidade por meio do diálogo interno, em vez de reagir às pressões externas dos outros. Precisam ser instruídos no sentido de ver além das percepções distorcidas da sociedade que dizem que o sexo é uma força que alimenta o poder e o controle. Precisam ver além das falsas aparências e enxergar o que é realmente a sexualidade. Depois de entenderem o que é a verdadeira sexualidade, nossos filhos podem crescer à vontade com sua própria sexualidade e os prazeres físicos e espirituais que ela oferece.

Imagem corporal e conceito de beleza

Gente bonita. É essa gente que consegue os empregos e a aprovação da sociedade. Imagem é a resposta que nosso mundo externamente orientado dá à maioria. Eis alguns comentários que nossos entrevistados fizeram sobre o assunto:

> "As meninas fazem muita pressão em cima da gente para termos um corpo bonito e tal. As pessoas ridicularizam você quando você é baixinho ou gordo e coisas assim."

"A coisa mais estressante do mundo é ter de ser bonito. Vejo um monte de gente que tem tudo a seu favor, fisicamente falando. São pessoas lindas e tudo. E elas estão sempre rindo e de bem com a vida. O que me dá a maior vontade de ser como elas."

Mas a maioria de nós está longe de ser "fisicamente perfeita" de acordo com a definição da sociedade. E como nossos filhos percebem essa discrepância, sua auto-estima e confiança sofrem um baque bem grande. Se não nos sentimos aceitos pela turma, como ter aquela sensação de que fazemos parte do grupo? Por causa desse foco de orientação externa, enfrentamos problemas como bulimia, anorexia e outros distúrbios que andam de mãos dadas com a necessidade de ter uma imagem corporal distorcida e um conceito rígido de beleza. Essa pressão implacável para se conformar com a definição de perfeição física da sociedade é uma das razões pelas quais os índices de depressão e suicídio de adolescentes aumentaram vertiginosamente. Nesse caso, o que podemos fazer? Exigir que todos usem uniformes sem graça? Acho que não. Vamos considerar soluções mais práticas, de orientação interna.

Combater a mídia que promove imagens inatingíveis

Precisamos responsabilizar a mídia ao menos em parte pela propaganda voltada para nossos filhos com a qual os levam a se concentrar em seus defeitos físicos e a lutar pela beleza em detrimento do caráter. Por que não protestar contra isso juntos – em alto e bom som? Isso significa cancelar assinaturas de revistas que tratam quase exclusivamente de formas de obter mais beleza física, boicotar canais de televisão que só contratam os mais bonitos, assistir a programas que mostram talento em vez de concursos de beleza, etc.

Desestimular o uso de roupas de marca

Talvez seja bom desestimular nossos filhos a se deixarem seduzir pela última moda para poderem ser aceitos por seus amigos. As crianças precisam dispensar o maior número possível de influências externas, e serem levadas a acreditar que têm de se vestir de uma certa maneira é uma das coisas sem as quais podem passar.

Ensinar onde vem a verdadeira atração

Você já conheceu alguma pessoa deslumbrante que você não conseguiu suportar e uma pessoa sem graça da qual acabou gostando muito? Claro que sim, ambas! Podemos discutir essa questão com nossos filhos, ensinando-os que a verdadeira atração vem da auto-expressão, criatividade, auto-aceitação e capacidade de mostrar amor, afeição e intimidade. Ao fazer observações ou perguntas sobre o grupo de amigos de nossos filhos, podemos estimular o diálogo interno sobre essa questão.

> "O que é que você acha tão atraente em Mary (a amiga "feia" de nosso filho de quatro anos)?"

> "Parece que você não se entende muito bem com o Mike (um amigo fisicamente atraente) – o que é que ele tem que desagrada você?"

> "É importante para você que seus amigos sejam bonitos fisicamente?"

> "Que tipo de coisa você mais valoriza num amigo?"

> "O que você prefere, um amigo feio, mas íntegro, ou um amigo bonito, mas sem caráter?"

Não definir pessoas por suas características físicas

Por exemplo, em vez de dizer: "Quem é aquele gordo da sua classe?", podemos perguntar: "Quem é aquele menino sentado na segunda fileira ao lado da Mary?". Quando definimos as pessoas de acordo com seus atributos físicos, nossos filhos captam a mensagem de que a aparência física de uma pessoa é uma parte enorme de sua identidade. Depois que essa idéia é internalizada, vai atuar como uma grande influência externa.

Elogiar o caráter, não o exterior

Por exemplo, em vez de dizer: "Jane, você está ficando muito bonita", podemos dizer algo como: "Respeito muito o fato de você se dedicar tanto aos estudos".

Não criticar a aparência dos outros

Vejo as pessoas criticando a aparência dos outros o tempo todo, principalmente naquele raio de dois metros em torno de seu aparelho de televisão. "Nossa, aquela velha está tão enrugada, uma boa plástica não ia fazer mal nenhum!". Essas pessoas se sentem melhor rebaixando os outros, mas fazer isso na frente dos filhos ensina a eles a dar mais importância ao exterior do que a características interiores. Depois que nossos filhos entendem que não precisam aceitar a definição de beleza da sociedade, não vão mais se deixar escravizar pela aparência, nem pela sua, nem pela dos outros. Quando estiverem livres dessas algemas, nossos filhos poderão começar a alimentar a verdadeira beleza que está dentro deles e ver a beleza interior dos outros – uma capacidade intrinsecamente maravilhosa dos auto-orientados.

A mentalidade de vencedor-perdedor e a competição

Em nossos esforços para vencer a qualquer preço e assim conquistar a aceitação dos amigos, na verdade acabamos por nos distanciar de outros membros do grupo. O resultado coletivo é uma sociedade desunida e cheia de conflitos. Não nos damos ao trabalho de pensar duas vezes na dor e no sofrimento dos outros porque muitas vezes vemos sua perda como vantagem para nós. Jessica, de treze anos, diz tudo isso ao fazer um comentário: "Acho que todo o mundo devia saber que existe mais de um jeito de entender as coisas. As pessoas deviam ter um espaço maior entre o branco e o preto. A pressão para estar do lado certo do branco e do preto é muito grande; e isso faz a gente não gostar tanto uns dos outros". Eis algumas formas de cultivar uma mentalidade em que não há perdedores, só vencedores:

• Podemos ensinar nossos filhos que eles nem sempre têm de ser superiores numa relação social ou afetiva, ou num conflito, ou em algum outro tipo de interação com os outros. Na verdade, é melhor lutar para ser competente, em vez de lutar para ser superior.

• Diga-lhes que não há problema algum em falar "não sei", em vez de insistir em ter razão o tempo todo. Podemos apresentar o modelo desse comportamento a eles. Isso significa que não precisamos ter medo de errar ou de não sabermos todas as respostas. Gente, *isso* pode ser divertidíssimo!

• Podemos tentar não recompensar nem encorajar a competição. É melhor dar preferência a jogos cooperativos que permitem que todos ganhem sem que haja oponentes. Podemos até incentivar as escolas de nossos filhos a substituir os jogos competitivos por outros cooperativos, tanto nas aulas de educação física quanto nas atividades esportivas em geral.

- Podemos manter nossos filhos longe de esportes competitivos até terem idade suficiente para enfrentar a derrota. Precisam estar suficientemente maduros para ver o fracasso como um evento temporário completamente desligado de seu valor pessoal.
- Quando nossos filhos participam de esportes competitivos, precisamos ajudá-los a definir a vitória como a atitude de enfrentar elegantemente a adversidade e os desafios, em vez de derrotar o adversário ou de ter a maior contagem de pontos. Uma verdadeira "vitória" acontece quando eles fazem o melhor que podem, quando mostram que melhoraram, quando todo o time cooperou e quando se divertiram a valer.
- Quando competem, devem fazer isso em relação a seu desempenho anterior, de modo a chegar ao crescimento pessoal cultivando traços como perseverança e autodisciplina.
- Não queremos motivar nossos filhos criando torneios do tipo "Vamos ver quem termina os deveres de casa primeiro". Sei que essa abordagem é tentadora, porque funciona incrivelmente bem, mas só os encoraja a ver todos os outros à sua volta como um adversário em potencial.
- Podemos mostrar às crianças que uma visão de mundo em que só há vencedores significa que primeiro eles procuram entender a situação da outra pessoa e depois tentam encontrar uma forma de convergência. Representar situações semelhantes é algo que pode ajudar.
- Podemos ensinar a nossos filhos as artes da negociação, da cooperação, da concessão e outras táticas em que não há perdedores. Precisam saber que podemos chegar a uma solução sem perdedores em qualquer conflito, e esses instrumentos lhes darão as chaves para essa compreensão.

Se conseguirmos criar nossos filhos de forma que eles adotem essa atitude cooperativa, eles podem crescer e mudar a sociedade, fazendo com que esta deixe de ser um monte de adversários e passe a ser um monte de amigos. Depois de chegar a esse tipo de cooperação, vamos ter uma população comprometida com o bem comum. Tomar a estrada da auto-orientação, da harmonia, deve ser a regra, e não a exceção, e os problemas do presente logo se tornarão lições do passado.

Conclusão

*Pois mergulhei no futuro, vendo tão longe quanto o olho humano pode ver.
Tive à visão do mundo e de todo o esplendor que ele pode ter.*
Alfred Lord Tennyson

A chave para mudar nosso mundo dirigido pelos fatores externos, transformando-o num mundo auto-orientado, é escolher o caminho certo. Precisamos ensinar nossos filhos a confiar na razão para analisar essas influências externas, em lugar de reagir impensadamente a elas. Precisamos ensiná-los a cultivar um sentimento de fazer parte do grupo de amigos descobrindo papéis por meio dos quais possam contribuir, em vez de tomar a estrada inconsciente da conformidade ou da competição.

E esse caminho elevado é mais fácil de percorrer do que você pensa depois que todos mudarmos nossa perspectiva. O fato de que nossos filhos nascem livres e auto-orientados nos dá uma vantagem inicial enorme. Tudo quanto precisamos fazer é ensiná-los a respeitar a existência dos outros e do mundo onde vivem, em vez de tentar controlá-los ou dominá-los para viver da maneira que a sociedade quer.

Estamos tão amarrados às influências externas que essa mudança vai exigir o nível mais profundo de comprometimento e paciência. Tudo quanto peço é que cada um de nós procure fazer o melhor que puder todos os dias. Precisamos estar sempre atentos em como influenciamos nossos filhos com palavras e atos, perguntando-nos toda vez: "Estou incentivando uma orientação externa ou interna?".

Parte III
Estratégias específicas

Lista de assuntos tratados

Acidentes
Agarrar-se aos pais
Agitação
Agressão física
Álcool, drogas e cigarros
Ataques de raiva
Bagunça
Brigas de aniversário
Brigas em lugares públicos
Brigas na hora das refeições
Brigas na hora de dormir
Brigas no carro
Brigas para tomarem banho
Brigas por causa das roupas
Brigas por causa dos deveres de casa
Choramingar
Chorar sem razão
Chupar o dedo
Ciúme
Colas nas provas
Comportamento de mais velhos
Comportamento manipulativo
Contar vantagem
Crimes
Crueldade com os animais
Culpar os outros
Cuspir
Desentendimentos com os amigos
Desperdício
Desrespeito
Desrespeito aos horários
Destruição de propriedade
Discutir com os pais
Doença (fingida)
Entrar para uma seita
Envolvimento com uma gangue
Escovar os dentes...
Esquecimento
Exigências
Falta de espírito esportivo
Falta de modos
Fazer-se de coitado
Fazer-se de incapaz
Fobia da escola
Fugir de casa
Gritaria e barulho
Hábitos desagradáveis
Insistência
Insultos e zombarias
Interrupções
Intimidação
Ir a um lugar...
Irresponsabilidade
Levantar cedo
Malandragem e protelações constantes
Matar aula
Materialismo e consumismo
Mau comportamento na escola
Mentir
Mexericos
Negatividade
Notas baixas
Panelinhas
Pegar coisas dos outros
Pegar coisas emprestadas...
Perder coisas
Pesadelos
Piercings, tatuagens...
Pôr a mão em tudo
Pornografia e irresponsabilidade sexual
Possessividade
Preguiça
Problemas na hora das refeições
Problemas para deixar as fraldas
Provocações, empurrões e cotoveladas
Quebra de promessas
Queixas e reclamações
Rebeldia
Rivalidade entre irmãos
Sexo antes da hora
Tédio
Timidez
Trancar-se no quarto
Transgressão de regras...
Vaidade
Vício em telefone, televisão...
Xingamentos...
Xixi na cama

Desafios específicos da educação dos filhos

A melhor maneira de fazer com que as crianças sejam boas é fazê-las felizes.
Oscar Wilde

Aqui vão algumas sugestões de auto-orientação que vão ajudar em algumas das situações mais difíceis da educação dos filhos com as quais podemos nos deparar. Todas elas são abordagens destinadas a preservar a capacidade de nossos filhos de confiarem no diálogo interno em vez de dependerem das influências externas para avaliar e corrigir seu comportamento. Use essa seção como uma referência para ajudá-lo a criar um filho auto-orientado, mesmo que isso signifique carregar o livro com páginas rasgadas e manchadas de lágrimas ao supermercado, no carro ou em casa. Há *alguns* problemas que, assim espero, você nunca vai ter de enfrentar, mas outros são tão inevitáveis quanto as espinhas no rosto ou o baile de formatura.

Para chegar à auto-orientação, há algumas ressalvas universais para cada uma das situações apresentadas a seguir. Em primeiro lugar, nossos filhos precisam entender e concordar tanto com a necessidade de regras quanto com as conseqüências por transgredi-las. Só quando passam a concordar com as regras – através do diálogo interno –, é que vão poder se tornar auto-orientados. Em segundo lugar, examine sua própria estratégia educacional como a possível fonte de alguns dos problemas. Você é excessivamente controlador(a) ou superprotetor(a)? Ambas as características podem evocar uma resposta de orientação externa à medida que seus filhos reagem a uma situação pouco saudável. Em terceiro lugar, lembre-se de que, apesar de todos esses desafios enfrentados pelos pais, o quanto é importante para você, como pai ou mãe, buscar o comportamento certo. Se você espera que seus filhos ajam de uma forma ou de outra, a questão dos dois pesos e duas medidas vai armar a maior confusão em todo o mecanismo de diálogo interno deles.

E, por último, não se esqueça de se divertir.

Acidentes

Por que

As crianças quebram, derramam e batem nas coisas como se fosse um passatempo nacional. Parte do motivo desses acidentes é que elas ainda não compreendem bem a relação entre seu corpo e o espaço à sua volta. E, às vezes, seus reflexos são demasiado rápidos, tornando-se difíceis de controlar. Mas, de vez em quando, as crianças provocam acidentes para manipular, aborrecer ou vingar-se, embora esse motivo seja raríssimo.

Conseqüências lógicas

Faça-os limpar tudo o que derramaram e pagar pelas coisas que quebraram. Se tiverem de fazer outras tarefas além das obrigações habituais para ganhar o dinheiro extra, que seja.

Soluções em termos de auto-orientação

Faça observações que não sejam condenatórias: "Parece que o litro de leite estava no chão. Talvez seja por isso que ele derramou". "Jogar bola dentro de casa não é seguro para as lâmpadas que moram aqui."

Se estão aprendendo a fazer alguma tarefa e alguma coisa deu errado, observe o que foi feito certo. "Todos derramam alguma coisa de vez em quando, Timmy. Mas você reparou que conseguiu tirar o leite sozinho da geladeira? Depois de limpar tudo, vamos tentar outra vez!"

Use o humor: faça de conta que você é o apresentador de um noticiário segurando um termômetro imaginário na boca e diga: "Últimas notícias, caros telespectadores: um terremoto com 6,5 pontos na escala Richter acaba de ser registrado, com o epicentro exatamente na mesa do café-da-manhã da família Medhus".

Use técnicas minimalistas: "Timmy, o leite". E aponte para a sujeira.

Use perguntas para fazê-los pensar sobre seus atos: "Como você acha que me sinto com esse líquido derramado pelo chão?", "O que acha que pode fazer agora para consertar as coisas?".

Apresente opções: "Se você limpar aquele leite todinho, depois pode tentar encher outro copo".

Se eles sofreram um "acidente" de propósito, para manipular ou para expressar raiva, também devem receber um castigo para repensar seus motivos.

Agarrar-se aos pais

Por que

As crianças agarram-se aos pais porque estão querendo uma atenção indevida, para manipular ou porque estão realmente com medo. É natural que as crianças menores passem por fases em que ficam mais agarrados aos pais, principalmente quando estão aprendendo alguma coisa que lhes parece assustadora, passando por estresse na escola ou se sentindo doentes.

Conseqüências lógicas

Quando seus filhos se agarram a você em busca de atenção indevida ou por outros motivos manipuladores, simplesmente insista para que eles lhe dêem espaço: "Caroline, agora estou lendo o jornal. Você pode ficar sentada no meu colo até eu terminar". Não leve a coisa muito a sério, porque gritar e repreendê-los pode ser exatamente o tipo de atenção que eles estão procurando, mesmo que seja negativa. Quando se agarram às suas pernas como se fossem âncoras de navio, afaste-os com firmeza e diga: "Preciso do meu corpo para mim agora. Sei que você vai se virar perfeitamente com o seu".

Quando seus filhos se agarram a você por medo, insegurança, fadiga ou doença, as conseqüências lógicas negativas não são apropriadas. Eles estão precisando de você!

Soluções em termos de auto-orientação

Ajude seus filhos a sentir que seu meio ambiente é seguro. Não os assuste com afirmações do tipo: "Nunca mais se afaste de mim! Quase morri de preocupação. Alguém poderia ter tomado você de mim para sempre!". Esse medo só lhes dá mais uma razão para se orientarem por fatores externos.

Transmita-lhes a sensação de que você acredita que seus filhos são capazes de viver independentemente de você.

Dê a eles amplas oportunidades de realizar desde cedo vários atos de independência, como preparar o próprio lanche ou aprender a andar de bicicleta.

Procure não fazer o que eles podem fazer sozinhos. Já vi mães dando mingau na boca de crianças de oito ou nove anos! Pelo amor de Deus! Como se as mães não tivessem nada melhor a fazer com seu tempo! Podem vir até minha casa, que lhes arranjo um monte de serviços!

Faça observações quando eles derem mostras de independência: "Você amarrou os cadarços sozinho hoje, Ricky!", "Você já acabou de preparar o seu café-da-manhã, Brianna?".

Faça perguntas: "O que é que está assustando você?", "O que acha que pode acontecer se você fizer isso sozinho?".

Agitação

Por que

As crianças *adoram* mexer o corpo. Afinal de contas, ainda não se acostumaram com ele e não se cansam de experimentar novos movimentos.

Muitas crianças são "cinestéticas" por natureza. Isso significa que aquelas engrenagenzinhas da cabeça funcionam melhor quando movimentam o corpo. Por exemplo: dois dos meus filhos sempre tinham de ficar girando em círculo enquanto eu lhes tomava a lição de casa. Eu tinha de tomar um comprimido contra tontura toda quinta-feira.

Conseqüências lógicas

Portanto, deixe-os se mexerem. Que mal há nisso? É um exemplo perfeito da filosofia de "escolher as batalhas que você vai travar". Se achar que é algo que distrai você, pare o que estiver fazendo e olhe para eles (na verdade, é muito divertido) ou peça-lhes para irem se mexer em outro lugar.

Soluções em termos de auto-orientação

Seus filhos precisam saber que há hora e lugar até para as melhores coisas da vida; ensine-os a ter noção dos lugares onde o excesso de movimento pode perturbar os outros.

Faça descrições imparciais e dê informações: "Não há problema em ficar agitado, desde que não incomode os outros", "Parece que sua agitação está incomodando aquelas pessoas na outra mesa".

Diga à irmã ou irmão mais calmo algo como: "Sally, você está sentada tão quietinha aqui no restaurante! Sei que o casal ao lado deve estar gostando muito disso". Depois disso, é só observar como os outros se acalmam —

parece mágica. E naquelas raras vezes em que o seu "nervosinho" estiver sentado quieto, diga algo do gênero, "Timmy, você está sentado tão bonitinho à mesa. Acho que a gente consegue se entender muito melhor quando você se comporta assim".

Agressão física

Por que

As crianças recorrem à agressão física por muitos motivos. Algumas não estão suficientemente maduras para pensar nas conseqüências e controlar seus impulsos. Outras têm uma capacidade não-verbal maior que a verbal, de modo que não sabem resolver os conflitos com palavras, principalmente no calor do momento. Outras ainda não conseguem controlar os sentimentos que tomam conta delas, principalmente a raiva e a frustração.

Conseqüências lógicas

Devem ser afastados para esfriar a cabeça. Depois disso, oriente-os para que desenvolvam um raciocínio adequado. Mostre-lhes que você compreende seus sentimentos: "Sei que você deve ter ficado com muita raiva quando o Jimmy tomou seu lugar na fila. Não há nada de mais em ficar com raiva, nem mesmo dos próprios amigos".

Ensine-lhes empatia: "Como você acha que Jimmy se sentiu quando você o mordeu?", "O que você sente quando alguém morde você?".

Ajude seus filhos a encontrar alternativas: "Que palavras você pode usar da próxima vez para dizer a Jimmy que ele não fez uma boa escolha?".

Ensine-os a reparar seus erros: "O que pode fazer agora para Jimmy se sentir melhor?".

Se persistirem em usar atos de violência como uma forma de resolver seus conflitos, diga-lhes: "Tenho medo de que você possa fazer a mesma escolha errada outra vez, por isso Jimmy agora tem de ir para casa".

Dê a entender que acredita que saberão fazer escolhas mais felizes: "Talvez você e Jimmy possam brincar juntos amanhã quando formos à pracinha. Sei que você vai tentar conversar com ele da próxima vez".

Soluções em termos de auto-orientação

Faça perguntas: "James, quais são as regras de nossa família em relação a bater?", "O que você precisa fazer da próxima vez?", "O que você tem de fazer para sua irmã se sentir melhor?". Essas perguntas os ajudam a desenvolver seu diálogo interior mais tarde.

Faça descrições imparciais e dê informações: "Não é permitido bater em nossa família". "Sarah parece ter ficado bem machucada com aquele chute."

Algumas crianças tiram proveito de técnicas de relaxamento, como exercícios de respiração e meditação. Essas técnicas permitem às crianças esfriar a cabeça o bastante para pensar nas conseqüências de seus atos.

Apresente opções limitadas: "Quando você parar de puxar o rabo do gato, aí vai poder brincar com ele de novo".

De vez em quando, as crianças com dificuldades de fala/linguagem podem ter problemas com a agressividade. Se você desconfia que seu filho tem esse tipo de dificuldade, peça à professora para encaminhá-lo ao fonoaudiólogo da escola.

Álcool, drogas e cigarros

Por que

As crianças recorrem ao abuso de substâncias químicas por muitas razões, todas elas discutidas no capítulo 7.

Conseqüências lógicas

As conseqüências devem ser rigorosas e inegociáveis. Por exemplo: podem ser submetidos a um período de três meses durante o qual não têm permissão de sair com os amigos. "John, você está fazendo um número grande demais de escolhas erradas quando sai com seus amigos, de modo que vou ter de afastá-lo deles até eu achar que você está preparado pra tomar decisões mais responsáveis."

Proíba-os de dirigir o carro por três meses. Eles podem passar alguns fins de semana fazendo trabalho voluntário num abrigo de meio período para adolescentes que estão se recuperando de problemas com drogas, ou em outro projeto de prestação de serviços à comunidade que lidem com a mesma questão.

Soluções em termos de auto-orientação

Faça com que seu filho e o resto da família comece uma terapia se o abuso de substâncias químicas for algo mais que uma única experiência. A investigação das relações sociais da família e a descoberta de depressão ou outras doenças psiquiátricas podem ser vitais.

Dê exemplos. Adoro apontar para fumantes inveterados com enfisema, arrastando seus tubos de oxigênio atrás de si quando vão à quitanda comprar verduras, com longos plásticos verdes conectando-os às suas narinas. E os bêbados cantando músicas de programas de televisão no ponto de ônibus? Lindo, não?

Faça perguntas: "Quais são as regras de nossa família em relação a fumar?", "Por que você acha que temos essa regra?", "O que pensa quando vê a tia Sally fumando?".

"Quando você fizer escolhas melhores e parar de tomar álcool nas festas, aí vou me sentir em condições de lhe devolver o carro."

Ataques de raiva

Por que

Ataques de raiva. O pesadelo de todos os pais e mães. Quando nossos filhos estão no meio de um deles, sentimo-nos impotentes, como se estivéssemos assistindo à erupção do monte Krakatoa. E eles percebem o medo da gente. Pelo cheiro.

Há toneladas de razões para as crianças terem ataques de raiva. Algumas não aprenderam as formas necessárias de expressar sua frustração, decepção, raiva e desejos verbalmente, algumas querem atenção, outras querem vingança, algumas querem fazer as coisas do seu jeito e outras simplesmente não sabem mais o que fazer.

Conseqüências lógicas

Nunca faça a vontade de seus filhos quando eles tiverem um ataque de raiva. Mantenha aquela atitude de "Acho isso muito chato, resolva o seu problema sozinho, cara".

Espere tranqüilamente até seu filho parar, ou então o pegue no colo (ou leve-o pela mão) e vá com ele para outro quarto sem soltar um pio. Quanto menos palavras, melhor. Se o seu filho tiver um ataque em público, leve-o para casa.

Soluções em termos de auto-orientação

Nunca repreenda, suborne, tente persuadir com agrados, engambele ou ameace seus filhos quando eles tiverem um ataque de raiva, senão essa atitude vai se arraigar ainda mais como uma reação a influências externas. Deixe-os em paz.

É perfeitamente aceitável reconhecer seus sentimentos: "Sei que você está com muita raiva e não há problema algum em sentir raiva. Vou segurar você até terminar".

Apresente alternativas: "Não há nada de errado em ficar com raiva. Você pode expressar seus sentimentos de uma forma tranqüila e aceitável, ou ter seu ataque de raiva sozinho".

Faça perguntas *depois* que o ataque acabar, de preferência *bem* depois: "Você ficou com raiva hoje no supermercado. Conseguiu o que queria com aquele comportamento?".

Represente a situação que levou ao ataque de raiva. Faça seu filho interpretar um dos lados da questão, e depois o outro.

Bagunça

Por que

Algumas crianças são bagunceiras por natureza, principalmente quando são ativas e curiosas, porque esse tipo gosta de pular rapidamente de uma atividade para a outra. Vamos encarar os fatos: a maior parte do tempo elas acham que têm algo melhor a fazer do que arrumar toda a bagunça que fazem. Às vezes, é rebelião contra o hipercontrole ou pais com mania de limpeza. Às vezes, simplesmente têm modelos desleixados.

Conseqüências lógicas

Se envolver qualquer outro lugar além de seu quarto, seus filhos não devem ter permissão de começar a próxima brincadeira enquanto não tiverem arrumado a bagunça criada pela anterior.

Quando meus filhos não arrumam suas coisas, pego um grande saco de lixo, ponho os brinquedos lá dentro e escondo-os no sótão por algumas semanas. Quando perguntam pelo paradeiro de seus brinquedos, digo: "Ah, é, lembro-me de ter visto seus trenzinhos outro dia e quase me machuquei tropeçando neles. Sei que os coloquei em lugar seguro. Humm, vamos ver. Onde acabei pondo aquela coisa? Escuta, me dê um tempo que *uma hora* eu vou me lembrar".

Se a bagunça for um *grande* problema, talvez eles simplesmente tenham coisas demais. Faça-os dar alguns de seus brinquedos a quem precisa.

Se o quarto de seus filhos parece ter acabado de sofrer um terremoto registrando 9.6 na escala Richter, feche a porta. Se não conseguirem encontrar seus objetos, azar o deles. Se não tiverem roupa limpa para usar na escola, que pena! Se quebrarem seus brinquedos ao pisar neles, o problema é deles.

Soluções em termos de auto-orientação

Nunca repreenda, implore, ameace, suborne seus filhos ou peça a eles para arrumar sua bagunça. Eles precisam desenvolver seu próprio sistema interno de repreensão. Nunca arrume a bagunça deles!

Faça perguntas: "Como você pode se organizar para pôr seu quarto em ordem?".

Experimente usar o humor: pregue um aviso na porta do quarto deles com os seguintes dizeres: "Interditado" ou "Em quarentena". Diga-lhes que a equipe de demolição está aqui para terminar a tarefa para eles.

Faça descrições imparciais: "Seu quarto está uma baderna. Deve ser muito difícil encontrar as coisas que você procura".

Dê informações: "Não há notícias de que roupas sujas se levantem sozinhas do chão e vão para o cesto de roupa".

Apresente-lhes alternativas: "Quando seus brinquedos estiverem arrumados, aí você vai poder sair comigo". "Se as suas roupas não estiverem no cesto de roupa suja quando eu começar a lavar roupa, elas não vão ser limpas – não por mim, pelo menos."

Faça observações quando eles *fizerem* uma arrumação: "Puxa, você já pegou todos os seus brinquedos! Isso quer dizer que você e Sarah vão ter mais tempo para brincar antes de a mãe dela vir buscá-la".

Brigas de aniversário

Por que

Algumas crianças brigam durante sua própria festa de aniversário porque estão passando por vários estados emocionais – excitação, expectativa, frustração, decepção, etc. As crianças brigam na festa de aniversário de outras crianças porque, muito obviamente, não são o centro das atenções.

Conseqüências lógicas

Quando seus filhos não sabem se comportar numa festa de aniversário, tanto sua quanto de outra criança, tire-os da festa. Leve-os para casa, se necessário. Diga-lhes que não vai permitir que eles estraguem o dia de outra pessoa.

Quando seus filhos não agradecem um presente, mesmo depois de um lembrete delicado, esse presente deve ser-lhe tirado imediatamente e devolvido ou doado a uma criança carente que vá apreciá-lo mais.

Soluções em termos de auto-orientação

Antes de seus filhos irem à festa de aniversário de outra criança, discuta como eles se sentiriam se outra pessoa estivesse recebendo toda a atenção naquele dia.

Dê informações como "O objetivo das festas de aniversário é mostrar a nossos amigos e familiares o quanto estamos felizes por termos passado mais um belo ano juntos". Portanto, é responsabilidade deles fazer o possível para que todos os seus convidados se divirtam.

Permita a seus filhos ajudarem a planejar sua própria festa. Eles se sentem valorizados quando você lhes dá opções: "Você quer um bolo de chocolate ou de baunilha?". Se forem os convidados, ajude-os a encontrar uma forma de contribuir para que a festa seja mais divertida para o convidado de honra. Por exemplo: eles podem propor uma brincadeira especial na festa.

Em vez de presentes, peça aos convidados para trazer um livro novo ou usado para doar à biblioteca da escola, ou algo do gênero. Seus filhos devem ser aqueles que decidem que tipo de coisa doar, e *eles* devem ser os felizardos que vão levar os presentes pessoalmente. Ao fazer isso, sentem-se tão orgulhosos que seu altruísmo vai se tornar um vício. Depois, faça-lhes perguntas: "Como foi que se sentiu ao doar aqueles livros à biblioteca?", "Como você acha que a sra. Godfrey, a bibliotecária, sentiu-se com esse ato de generosidade?". Acrescente observações imparciais, como "Aqueles livros vão fazer uma diferença enorme na biblioteca da escola. Aposto que um monte de crianças vai gostar de lê-los, ano após ano".

Brigas em lugares públicos

Por que

Acredito firmemente que as crianças não são ensinadas a respeitar os lugares públicos. Praticamente desde o dia em que nascem, se não lhes ensinarmos a forma certa de se comportar em público, começamos a ter todo o tipo de problemas. Elas crescem pensando que o público é um ser sem rosto que tolera tudo e com o qual podem fazer o que bem entenderem. Fico espantada com alguns comportamentos que vejo os pais permitirem em restaurantes e supermercados hoje em dia. Desculpam e subornam os filhos para se comportarem direito, de modo que os atos anti-sociais das crianças são praticamente recompensados, de certo modo.

Conseqüências lógicas

Se os seus filhos se comportarem mal em público, leve-os imediatamente para casa. Se esse mau comportamento em público for um problema recorrente, você vai precisar ser mais rigoroso(a). Por exemplo: diga-lhes que vocês todos vão assistir àquele filme sobre o qual não param de falar há mais de duas semanas. As regras são: se se comportarem direito, ficam; se não, vão embora. E, ao menor sinal de problemas, leve-os para casa. NÃO HÁ UMA SEGUNDA CHANCE.

Se os seus filhos forem responsáveis por qualquer ato de vandalismo, faça-os consertar ou pagar o conserto de tudo o que estragaram. Se os seus filhos jogarem lixo na rua, faça-os catar o lixo que jogaram e mais todo aquele que encontrarem nas proximidades. Se for imposta alguma multa, faça-os pagar.

Soluções em termos de auto-orientação

Defina e explique regras e limites claros para o comportamento em público para que eles o incorporem a seu diálogo interno.

Nunca ceda quando seus filhos estiverem fazendo uma cena em público. Se o fizer, eles vão anotar imediatamente esse comportamento na coluna de "esse truque funciona".

Nunca suborne seus filhos. Você quer que eles se comportem bem porque é a coisa certa a fazer, não porque eles vão ganhar alguma coisa com isso. Esse suborno só os incentiva a crescer sentindo que têm direito a tudo na vida.

Não ameace seus filhos com o vexame: "As pessoas estão olhando para você. Que vergonha! Aposto que acham que você é um pirralho mimado!". Fazer as crianças passarem vergonha leva-as a pensar que as opiniões que os outros têm a seu respeito é algo crucial para sua auto-estima.

Não use aquela ameaça popularíssima "Você quer que o *homem* venha aqui e faça você se comportar direito?". Aposto que meus filhos cresceram tendo pesadelos horríveis com garçons e seguranças perversos de supermercados. Mas essa ameaça só transmite a mensagem de que você não consegue lidar com o mau comportamento deles e precisa chamar uma autoridade superior. O "homem" sem rosto torna-se uma influência externa à qual eles reagem cegamente.

Faça perguntas: "Qual é a regra em relação a se comportar em público a respeito de jogar lixo na rua, ficar andando devagarzinho quando os outros estão andando depressa, etc.?", "O que pretende fazer para consertar as coisas?".

Quando eles se comportarem bem em público, dê a entender que você percebeu. "Billy, você está parecendo um mocinho aqui na loja. Adoro a sua companhia quando você faz essas escolhas certas."

Faça descrições imparciais e dê informações: "As pessoas não conseguem ouvir o que os atores estão dizendo quando há um barulhão no cinema", "Esse nível de barulho parece estar incomodando aquele casal da mesa vizinha", "Não permitimos esse tipo de comportamento na loja".

Apresente alternativas: "Quando você encontrar formas de se comportar bem, aí podemos voltar ao cinema", "Você precisa se sentar à mesa como se deve, ou sair do restaurante".

Procure minimizar a abordagem de pai e mãe: "Christopher..." (Depois coloque o indicador nos lábios para lhe dizer que fique quieto.)

Brigas na hora das refeições

Por que

Vamos considerar quatro categorias: anorexia/bulimia, comer demais, fissura por doces e ser difícil de agradar. Pesquisas científicas recentes sugerem que os fatores genéticos podem ser uma determinação possível nos distúrbios alimentares. Mas muitas crianças ficam anoréxicas ou bulímicas para satisfazer o padrão de beleza da sociedade, como forma de autopunição ou como forma de chamar a atenção. As crianças comem demais para acalmar os sentimentos de tristeza, frustração ou tédio. Elas deixam os pais malucos por causa dos doces, pois sabem que usamos os doces como tática de controle (para não falar do sabor maravilhoso daqueles *Twinkies*!). As crianças podem ficar muito exigentes com comida porque conseguem nos deixar preocupados.

Conseqüências lógicas

Se a sua filha sofre de anorexia ou bulimia, leve-a a um profissional especializado nesse tipo de distúrbio. Se o seu filho come demais, limite o estoque de alimentos em casa àqueles extremamente nutritivos. Verifique o que seu filho leva de lanche para a escola. Proíba refrigerantes e doces até ele chegar a um peso ideal.

As conseqüências lógicas não funcionam com crianças que têm fissura por doces. Tirar seu poder de controle é o caminho a seguir. Veja abaixo.

Se o seu filho em geral é muito exigente e difícil de agradar no tocante à alimentação, qual o problema? Seu corpo é muito mais inteligente do que nós e vai lhe dizer quando é hora de comer o que tiver pela frente. Nunca deixe isso se transformar em problema. Pelo mesmo motivo, se ele não come o que está no prato, pode esquecer a sobremesa. Sua próxima chance de comer será na hora da próxima refeição em família.

Soluções em termos de auto-orientação

Procure minimizar a importância da imagem corporal e não alimente essa obsessão com o seu comportamento.

Nunca use comida para controlar, senão ela vai se transformar numa grande influência externa para seus filhos. Essa abordagem significa não tirar guloseimas e doces como castigo e não as usar como recompensa ou suborno. No caso da fissura por doces, a melhor coisa a fazer é nem começar a dar doces à criança. Se você é como eu e já é tarde demais para voltar atrás, pode tentar um truquezinho que funcionou maravilhosamente bem em nossa família. Enchi uma das gavetas da cozinha de balas e bombons e disse a meus filhos que podiam encher as mãos e pegar tantos quantos quisessem, desde que fosse pelo menos duas horas antes da próxima refeição. Quando chegaram da escola, com a baba escorrendo da boca como se fossem cães raivosos, enfiaram as mãos na gaveta de balas e bombons e se empanturraram quase sem desembrulhar os doces. Aquilo durou duas semanas. Agora que sabem que o consumo de doces por eles não é um foco do meu controle, não se importam mais. Acabaram preferindo uma comida mais nutritiva.

Ensine seus comilões a lidar com as emoções de outras formas além de comer. Veja se consegue ajudá-los a reconhecer o que desencadeia o processo que os leva a comer loucamente.

Veja se consegue envolver os difíceis de agradar no planejamento das refeições da família. Convide-os também para cozinhar e enfeitar a mesa. Até uma criança de três anos pode contribuir com alguma coisa.

Brigas na hora de dormir

Por que

A maioria das crianças resiste a ir para a cama porque não querem perder nada do que está acontecendo com o resto da família. Às vezes, gostam de travar uma grande briga de poder porque isso significa que vão receber mais atenção.

Conseqüências lógicas

Quando seus filhos não terminam sua rotina "pré-hora de dormir" a tempo, como escovar os dentes, tomar banho e pôr o pijama – adivinhe o que vai acontecer? Não vai haver tempo para contar uma história antes de dormir. (Mas nunca deixe de reservar um tempinho para cobri-los e beijá-los.)

Quando seus filhos vão tarde para a cama, vão estar cansados no dia seguinte e você pode capitalizar sua privação de sono criando conseqüências lógicas. "Jane, você parece exausta depois de uma noite mal dormida. Acho que não vai conseguir ir à festa da Mirel."

Soluções em termos de auto-orientação

Dê opções: "Você gostaria de ir para a cama às 7:30 ou às 7:45 hoje?".

Faça perguntas: "Quais são as regras em relação a se aprontar para dormir?", "E então, o que você tem de fazer agora?".

Use descrições imparciais e dê informações: "É importante dormir bastante toda noite para se sentir bem no dia seguinte", "Acho que não vamos conseguir ir à pracinha amanhã, pois você não vai ter dormido o suficiente à noite".

Use o humor: "A fada do sono está se contorcendo toda. Ela tem um colapso nervoso quando as crianças não vão para a cama na hora certa".

Nunca caia naquela história de "mais um copo d'água". Meu filho de cinco anos costumava vir com todo o tipo de desculpas imagináveis: "Tenho mais uma pergunta a fazer", "Preciso fazer xixi", "Preciso fazer cocô", "Estou com sede", "Esqueci de te dar um abraço", "Esqueci de te dar um beijo". Quando a rotina original é seguida ao pé da letra, todo o resto é apenas uma tática para ganhar tempo. Acredite-me, eles não vão morrer de sede nem de fome, e não se afogam numa poça de xixi durante o sono.

Brigas no carro

Por que

Do ponto de vista deles, é uma tortura ficar sentado num mesmo lugar a eternidade inteira. Nossos filhos estão acostumados a grandes espaços abertos onde os ruídos viajam sem obstruções e a distância entre os irmãos está sob total controle.

Conseqüências lógicas

Nunca dê a partida no carro enquanto todos não estiverem acomodados. Se alguém tirar o cinto de segurança, pare o carro, se a segurança permitir, e espere pacientemente até que a criança o coloque de novo.

Quando o nível de barulho ou das altercações começar a passar dos limites, diga a seus filhos que dirigir com esse tipo de distração é perigoso. Depois pare onde for seguro e conveniente e espere em silêncio até todos se aquietarem. Seus filhos precisam resolver as pendências entre eles sem qualquer intervenção de sua parte. Se não conseguirem resolver o problema num prazo razoável, bem, é direto para casa que eles vão!

Castigo às avessas também funciona muito bem. Quando meus filhos começam a brigar dentro do carro, eu paro, saio do automóvel e espero tranqüilamente até eles se aquietarem. E eles se aquietam, e bem rapidinho. Quando olho para eles pelo retrovisor, tenho de reprimir minha vontade de rir da expressão deles, que parece dizer "Dessa vez a mamãe perdeu as estribeiras mesmo".

Aquele que brigar ou correr para pegar o melhor lugar vai ser o último a escolher.

Soluções em termos de auto-orientação

Faça perguntas: "Quais são as nossas regras sobre comportamento no carro?", "Por que você acha que temos essas regras?".

Use descrições imparciais e dê informações: "É perigoso discutir quando alguém está no volante", "Discutir sobre onde vão se sentar não é permitido em nossa família".

Ofereça-lhes alternativas: "Quando vocês pararem de brigar no carro, aí podemos ir para o restaurante".

Para brigões incorrigíveis, eu faço de conta que vou levá-los pra passear em algum lugar. Sem deixar transparecer absolutamente nada de meus objetivos ocultos e extremamente traiçoeiros, digo-lhes para entrar no carro para ir a algum lugar no qual não tenho a menor vontade de ir. Um daqueles imensos aquários marinhos, por exemplo. Então informo-os de que, se não se comportarem no carro, vou voltar para casa, aconteça o que acontecer. O passeio deve ser meio longo, para que haja tempo entre essa advertência e o destino. E quando eles começam a brigar, como costumam fazer, cumpro a minha palavra e volto para casa. Se isso acontecer, fale o menos possível na volta, por mais que eles peçam, implorem, chorem e resmunguem. Se eles se comportarem *bem*, faça observações a respeito e pergunte-lhes se o passeio de carro não é mais agradável quando todos se comportam com civilidade. Repetir esse "passeio de mentira" de vez em quando vai manter os pestinhas sob controle.

Brigas para tomarem banho

Por que

Vamos encarar os fatos. As crianças pequenas sempre conseguem achar alguma coisa mais importante para fazer do que tomar banho, ao menos do seu ponto de vista.

Conseqüências lógicas

Informe seus filhos que tomar banho não é uma escolha. Mas resolver se o papai ou a mamãe é que vai lavar seu cabelo, resolver se primeiro é hora de contar histórias ou de tomar banho e coisas assim são escolhas que eles podem fazer. Se mesmo assim eles têm um chilique quando vai chegando a hora do banho, devem perder o direito de fazer aquelas pequenas mas importantes escolhas. Além disso, vão perder a história da hora de dormir, uma vez que resolveram usar esse tempo com choramingos, queixas e outras formas de resistência.

Se se recusarem a tomar banho, não vão ter permissão de submeter os outros a suas práticas negligentes de higiene. Isso significa não ir à casa de Trent brincar, não ir ao cinema, não sair com você para passear, etc.

Soluções em termos de auto-orientação

Dê opções: "Você quer escovar os dentes ou tomar banho primeiro?", "Depois que você tiver tomado banho, aí pode vir comigo até a quitanda".

Use descrições imparciais e dê informações: "Crianças sujas não têm permissão de entrar na quitanda", "A nossa família acredita que a limpeza é uma coisa boa".

Faça perguntas: "Quais são nossas regras em relação a tomar banho?". Use a abordagem minimalista: "Howie... hora do banho, agora!".

Use o humor: faça de conta que não está vendo o seu filho e diga a seus cúmplices educacionais: "Vocês viram o Larry? Não consigo encontrá-lo. Tudo quanto vejo é um monte de carvão no meio do quarto dele".

Brigas por causa das roupas

Por que

Algumas crianças usam a escolha das roupas como um pretexto para começar uma briga de poder. Algumas têm problemas com um senso tátil muito exacerbado. Sabe aqueles montinhos na parte de dentro de suas meias, na linha dos artelhos? Parecem montes Everest para essas crianças. E a roupa fica apertada demais na cintura ou larga demais. É por isso que usam a mesma peça de roupa da qual realmente gostam dia após dia.

Algumas fazem combinações estranhíssimas simplesmente porque ainda não desenvolveram o gosto. Outras crianças parecem estar usando roupa de palhaço porque têm um gosto peculiar para a moda que ninguém mais no mundo *inteiro* parece ter.

Conseqüências lógicas

Se os seus filhos têm problemas com as roupas de manhã, não deixe que se transformem em problemas seus.

Deixe-os usar o que bem entenderem desde que esteja limpo e apropriado para o tempo que estiver fazendo. Caso se recusem, diga-lhes algo como: "Bem, Harry, acho que, afinal de contas, você não quer sair. É anti-higiênico usar roupas sujas, de modo que você vai ter de ficar em casa até colocar algo que não ande sozinho".

Quando seus filhos escolherem uma peça de roupa na loja e então, dois meses depois, disserem que nunca mais vão usar porque a detestam, faça-os pagar o preço original do seu próprio bolso.

Soluções em termos de auto-orientação

Ajude seus filhos a desenvolver o gosto para se vestir folheando revistas de moda juntos, tendo estilos diferentes em seu próprio guarda-roupa, destacando as combinações criativas que fizerem e assim por diante.

Nunca ridicularize suas opções em matéria de roupa. Trata-se de uma questão de opinião e eles certamente não precisam que seu gosto seja tão menosprezado que percam a confiança em si próprios. Se os amigos zombarem deles por suas escolhas, mostre empatia por eles, mas lembre-os da importância da individualidade. O que os outros pensam a respeito de nossa aparência não deve determinar nossas idéias sobre a moda.

Valorize e respeite o desejo de seus filhos serem criativos em sua forma de se vestir. Não os obrigue a trocar de roupa só porque está com medo de que os outros possam pensar que você tem um mau gosto horrível, ou que não é boa mãe ou bom pai.

Procure dar opções às crianças se elas tiverem dificuldade para decidir o que usar. "Hoje você quer usar sua saia-calça rosa ou a calça comprida azul?"

Não apresse seus filhos para se vestirem de manhã. Eles têm de aprender a criar seu próprio "mecanismo interno de noção do tempo". Se chegarem atrasados na escola por não terem conseguido se vestir a tempo, é um problema que eles mesmos vão ter de resolver.

Faça descrições imparciais e dê informações: "Estou vendo que você ainda não se vestiu. Estou me perguntando se vai ter tempo de tomar o café-da-manhã antes de o ônibus chegar", "Usar roupas sujas é anti-higiênico".

Use o humor: "Aquela camisa que você usou durante a semana passada está começando a adquirir uma personalidade própria. Já escolheu um nome para ela?".

Envolva seus filhos na tomada de decisões quando você for comprar roupas novas para eles. Faça-os experimentar todas as peças de roupa para ter certeza de que eles *vão gostar* do estilo e do caimento e não vão deixar no cabide.

Brigas por causa dos deveres de casa

Por que

As crianças detestam passar sete horas na escola e chegar em casa e ainda ter de enfrentar resumos de livros, problemas de matemática e projetos de Geografia. E o efeito dessas brigas em torno dos deveres de casa sobre seus pais é uma entrada paga para algum divertimento que permite a eles adiar a trabalheira. Algumas crianças florescem com a atenção negativa. Mas, de vez em quando, as crianças ganham as batalhas em torno dos deveres de casa porque estão brigando na escola.

Conseqüências lógicas

O pior a fazer é pedir e implorar a seus filhos, repreendê-los, gritar com eles e castigá-los. Se, por algum milagre inexplicável, essas táticas funcionarem, é porque eles não querem mais ser punidos, e não por quererem assumir suas responsabilidades. Basta manter aquela atitude de indiferença que as conseqüências lógicas vão se fazer sentir, como no seguinte exemplo:

Johnny: "Mamãe, eu detesto dever de casa! Não vou fazer!" (Sua artimanha para conseguir ajuda.)
Mãe: "Que pena você não gostar de fazer dever de casa! Se houver alguma coisa que você não está entendendo, talvez eu possa ajudar. Se não me contar, você vai ter de levar seu problema para a sua professora de matemática amanhã cedo."
Johnny: "Ah, tá legal, vou fazer! Mas não entendi esse problema com essa divisão enorme aqui. Será que você pode me mostrar por onde é que eu começo?"

A mesma estratégia funciona bem quando eles se esquecem de trazer as coisas de que vão precisar para fazer os deveres de casa, quando não terminam uma tarefa, e assim por diante. Não os deixe escapar!

Choramingar

Por que

As crianças choramingam porque desejam uma atenção indevida, porque estão querendo se vingar, porque estão querendo testar os limites de seu poder ou porque funciona.

Conseqüências lógicas

Se os seus filhos começarem a choramingar, aquilo que eles estão querendo conseguir com esse comportamento deve ser-lhes negado na mesma hora. Recuse-se a ouvi-los até poderem falar com a voz de uma "moça" ou de um "rapaz". Se não pararem na mesma hora, saia da sala ou obrigue-*os* a sair.

Soluções em termos de auto-orientação

Às vezes, as crianças choramingam porque não têm a sensação de fazer parte do grupo. Ajude-as a encontrar papéis apropriados na família.

Experimente usar humor: grave seus filhos quando eles estiverem choramingando e ponha a fita para tocar quando eles estiverem de bom humor. Pergunte-lhes o que acham dos sons que estavam fazendo. Mas nunca use essa tática como forma de zombaria.

Nunca repreenda, ameace, zombe, ridicularize ou castigue seus filhos quando eles choramingarem. Isso só os incentiva a envolver você numa luta de poder orientada por fatores externos. Para eles, a atenção negativa é melhor do que não ter atenção nenhuma.

Faça perguntas: "Qual é a nossa regra a respeito de choramingar? Por que temos essa regra?", "Como você acha que me faz sentir quando fala comigo nesse tom de voz?", "Como você se sente quando ouve outras pessoas choramingando?".

Faça observações quando eles não choramingarem: "Notei que você pediu sobremesa sem choramingar hoje. Gosto muito de fazer o que você me pede quando fala num tom de voz respeitoso".

Faça descrições imparciais e dê informações: "Estou vendo que você está choramingando. Essa estratégia não dá certo comigo".

Apresente alternativas: "Você pode falar comigo num tom de voz mais agradável ou sair da sala", "Quando você parar de choramingar, aí vou ouvir o que tem a dizer".

Chorar sem razão

Por que

As crianças choram sem razão porque querem fazer as coisas do seu jeito, por estarem cansadas ou doentes, por estarem sobrecarregadas, por quererem atenção, por quererem vingança, por se sentirem indefesas ou por não conhecerem uma alternativa melhor. As crianças também têm personalidades diferentes umas das outras. Algumas simplesmente são mais sensíveis que outras.

Conseqüências lógicas

Quando seus filhos chorarem sem um bom motivo, diga-lhes apenas algo como "Essa não parece uma boa razão para estar chorando. Se insistir nisso, é melhor sair de perto de mim e ir chorar num lugar em que você não aborreça ninguém".

Soluções em termos de auto-orientação

Às vezes é bom reconhecer seus sentimentos: "Parece que você está com raiva. É duro quando os amigos são ruins com a gente. Mas eu sei que você é inteligente o bastante para encontrar um jeito de consertar a situação".

Ensine a eles formas de lidar com emoções como a frustração sem chorar. Representar situações pode ajudar bastante.

Crie seus filhos para que sejam independentes não fazendo tudo por eles, não os salvando de todas as dificuldades, permitindo-lhes realizar coisas cada vez mais difíceis com o passar do tempo, e assim por diante.

Nunca fique triste por eles, não lhes mostre simpatia nem ceda às suas exigências quando o choro é um instrumento de manipulação. Senão eles vão chorar toda hora na tentativa de manipular os fatores externos. Essa é uma tática orientada pelos fatores externos.

Faça descrições imparciais e dê informações: "Você está chorando porque as coisas não saíram do jeito que você quer. Não acho que tenha adiantado nada você ter chorado pelo mesmo motivo ontem".

Quer o choro seja infundado ou não, você pode combinar descrições imparciais com a declaração de que acredita que eles têm condições de resolver seus próprios problemas (e que o problema não é mais importante para você do que eles), dizendo algo como: "Humm. Parece que você está com um problema. Como vai resolvê-lo?".

Chupar o dedo

Por que

As crianças chupam o dedo porque é bom, porque é um hábito ou porque estão se sentindo estressadas.

Conseqüências lógicas

Não é necessário apresentar conseqüências para esse comportamento, porque é absolutamente normal. Afinal de contas, qual é a pior coisa que pode acontecer? Escolha as batalhas que vai travar! É muito mais fácil deixá-los chupar o dedo até se cansarem do que meter-se com suas necessidades e ansiedades sem fundamento.

Soluções em termos de auto-orientação

Nunca ridicularize, censure ou castigue seus filhos por chuparem o dedo. Nunca faça manobras como luvas na hora de dormir ou molho de pimenta. Além de serem completamente ineficientes, essas táticas promovem a orientação externa.

Deixe seus filhos expressarem seus medos francamente. Incentive-os a discutir com você aquelas coisas que podem ser fonte de tensão para eles.

Só interfira se esse hábito incomodar seu filho e ele pedir ajuda. Depois consulte o dentista sobre o que usar para proteger o dedo.

Ciúme

Por que

Quando nossos filhos têm um ano e meio de idade, começam a observar as relações que temos com outras pessoas. Aos dois anos, já estão sabendo que essas distrações podem pôr limites à nossa disponibilidade. Acham que há gente demais à nossa volta. Luzes vermelhas começam a piscar. Alarmas soam. Apitos fazem-se ouvir. Pânico. E toda vez que alguém *novo* entra na equação, eles têm de fazer um esforço incrível para encontrar um novo papel ou nicho.

Conseqüências lógicas

Uma coisa é sentir ciúme, outra é agir em função dele. Quando eles baterem, gritarem ou torturarem as pessoas de quem sentem ciúme, faça-os sair da sala – ou pelo menos os afaste da outra criança.

Soluções em termos de auto-orientação

Dê às crianças contribuições e papéis apropriados dentro da família, para que elas sintam que fazem parte do grupo. Quando um novo irmão está envolvido, descubra um papel que leve em conta a idade da criança mais velha. Não compare nenhum filho a seus irmãos ou amigos, senão eles vão reagir aos outros como influências externas por meio do ressentimento e do ciúme.

Ensine-lhes estratégias que ajudem a diminuir seus sentimentos de ciúme. A minha favorita é pedir-lhes para visualizar a pessoa de quem estão com ciúme como um bebê recém-nascido ou uma pessoa extremamente velha. Eles também podem tentar encontrar uma qualidade qualquer nessa pessoa.

Discuta aquelas vezes em que você teve ciúme e o que fez para resolver a situação.

Encontre formas de conseguir cooperação entre os seus filhos e aqueles de quem sentem ciúme. Por exemplo: peça-lhes para fazerem juntos a decoração para a festa do dia das bruxas, deixando o ciumento assumir um papel de supervisor.

Ensine seus filhos que todos temos pontos fortes e fracos. Não há problema algum se Mary é melhor em Matemática e que nosso filho seja melhor em Português. Em vez de ter ciúme do talento de Mary para Matemática, incentive seu filho a ajudar Mary com suas lições de Português e, em troca, Mary pode ajudar em Matemática.

Represente situações que você sabe que provocam ciúme em seus filhos. O objetivo do exercício deve ser aprender que não há problema em sentir ciúme, mas que não está certo agir de acordo com esse sentimento de uma forma que prejudique o outro.

Apresente alternativas: "Ou você se comporta bem com o Bobby, ou vamos ter de levá-lo para casa e ele volta para brincar um outro dia". Experimente fazer perguntas: "Por que você sente tanto ciúme do David?", "Agir em função do ciúme melhora ou piora as coisas?", "Em que tipo de coisas você poderia pensar que o ajudaria a lidar melhor com o ciúme?".

Use descrições imparciais e dê informações: "Todo mundo tem pontos fortes que são só seus. É impossível comparar duas pessoas com base num único ponto forte", "O ciúme pode destruir amizades", "Notei que você ficou com inveja do novo vestido de festa da Mary. Como ela é sua amiga, talvez fosse bom você pensar na felicidade dela usando aquele vestido. Sei que você gosta que suas amigas se sintam felizes".

Colas nas provas

Por que

As crianças colam para conseguir aprovação dos amigos, dos professores e dos pais. A sociedade dá tanta importância à vitória e às boas notas que há um bocado de pressão para fazer o que precisa ser feito, seja lá como for.

Conseqüências lógicas

Quando seus filhos são pegos colando, podem fazer uma ou todas as coisas apresentadas a seguir:
- Reestudar o material até dominá-lo. Nada de brincar ou se divertir enquanto não fizerem isso.
- Pedir desculpas ao professor.
- Aceitar uma nota baixa, mesmo que sejam aqueles que estão dando a cola a alguém.
- Peça para serem estritamente vigiados quando estiverem fazendo provas, até o professor e você acharem que eles não vão colar mais.
- Faça-os interromper todas as atividades extracurriculares (futebol, caratê, encontros da torcida antes dos jogos, festas, etc.) até mostrarem domínio da matéria sem colar.

Soluções em termos de auto-orientação

Eduque seus filhos de tal modo que eles entendam que as notas não são o objetivo final. O saber obtido e a sede constante de conhecimento é que interessam realmente. Por fim, eles vão acabar internalizando esse conceito como uma idéia própria, que depois vai servir de alimento para o diálogo interno em torno dessa questão.

Faça perguntas: "Por que você acha que algumas crianças colam?", "O que você acha que isso lhes dá?".

Fale com seus filhos a respeito dos benefícios de se manterem íntegros graças à sua honestidade e mostre-lhes que a integridade está em jogo sempre que se trata da sua felicidade.

Comportamento de mais velhos

Por que

Nossos filhos não querem que ninguém pense que são "bebezinhos". Usar maquiagem, ter uma paquera, vestir-se de maneira provocante, etc. aumenta seu *status* aos olhos de seus amigos.

Conseqüências lógicas

Crie regras práticas em relação a que tipo de roupa e de comportamento são adequados para cada idade. Depois de criá-las, atenha-se a elas. Nada de namorar antes dos quinze anos, nada de maquiagem antes dos treze, etc.

Se os seus filhos transgredirem essas regras, tire-lhes a maquiagem. Se tiverem um namorado ou namorada quando ainda são novos demais, faça-os dormir mais cedo, proíba-os de ir a festas durante algum tempo, retire seus privilégios de falar ao telefone, etc.

Soluções em termos de auto-orientação

Diga a seus filhos que não há nada de errado em ser criança. Digo a meus filhos que as crianças têm qualidades maravilhosas que eu adoraria ver em um número maior de adultos, como expressividade, franqueza e otimismo.

Não apresse as coisas! Logo, logo essas crianças vão estar grandes. Vejo pais e mães incentivando seus filhos de dez anos a participarem de festinhas nas quais as meninas dançam com os meninos. O que será que eles estão pensando? E comentários aparentemente inocentes como "Você parece uma mocinha com esse vestido, Sally" dão a impressão de que virar adulto antes da hora é algo que seus filhos devem fazer para conseguir sua aprovação.

Seus filhos devem saber que ser sexualmente atraente antes de estarem prontos para o sexo é uma mensagem que não deve ser aceita. Diga-lhes que a ênfase exagerada que nossa cultura atribui ao sexo não diz respeito ao amor, e sim a poder, imagem e dominação.

Examine as regras que vigoram em sua família. Você está sendo rigoroso(a) demais com seus limites? Se o meu marido fosse fazer tudo o que quer, proibiria nossas filhas de namorar até elas terem trinta e cinco anos. Lembre-se: as regras têm de fazer sentido se quisermos que nossos filhos as internalizem e respeitem.

Converse francamente com seus filhos sobre sexualidade. Você quer que eles se sintam completamente livres para conversar sobre esse assunto.

Talvez precise explicar a motivação sexual por trás de certos tipos de maquiagem e de roupa. Quando uma menina de onze anos entende as origens do uso do *blush*, por exemplo, provavelmente vai achar que é uma coisa vulgar e vai pô-lo de lado como se fosse uma batata quente.

Se sua regra for nada de sexo antes do casamento, então não promova a irresponsabilidade sexual comprando-lhes preservativos ou dando-lhes pílulas anticoncepcionais "para o caso de acontecer alguma coisa" quando eles têm quinze anos. Se não é permitido, não é permitido.

Converse sobre seus próprios contratempos por tentar parecer adulto(a) antes da hora, inclusive seus arrependimentos. As crianças aprendem muito com as experiências dos outros, sem precisar reinventar a roda.

Faça perguntas: "O que você acha que vai acontecer com a confiança que existe entre nós se usar batom sem permissão?", "Você acha que estou fazendo alguma coisa que torna difícil para você conversar comigo sobre as regras que estabelecemos a respeito dessas coisas?", "O que pensa em fazer para me ajudar a recuperar a confiança em você?".

Apresente alternativas: se há amigos que os induzem a fazer coisas que estão além de seu nível de maturidade, proíba a amizade. "Se você não consegue fazer escolhas melhores quando está com Lisa, então não posso mais deixar você sair com ela."

Comportamento manipulativo

Por que

As crianças aprendem a manipular quando cedemos às suas exigências – quer se aproveitando dos desentendimentos entre pais e filhos, bajulando, choramingando, implorando ou fazendo beicinho. Algumas usam a manipulação para se vingar e outras vão nos manipular quando seus pedidos nunca são atendidos por um bom motivo.

Conseqüências lógicas

Assegure-lhes que, seja o que for que estejam tentando conseguir com essas táticas manipuladoras, não vão ter – *por causa* dessas táticas.

Soluções em termos de auto-orientação

Nunca ceda às exigências de um manipulador.

Examine sua forma de educar os filhos. Está dizendo "não" só para dominar, controlar ou exercer sua autoridade? Se estiver, está atraindo a orientação externa e a manipulação.

Reformule as afirmações manipuladoras de seus filhos usando uma linguagem mais direta. Quando eles disserem: "A mãe do Tommy é maravilhosa! Deu-lhe um *skate* novinho em folha! Ele é um cara de sorte!", você pode dizer: "Mamãe, daria para me comprar um *skate* novo?". Informe-os de que não há nada de mais em ser direto e que o pior que pode acontecer é você dizer "não", ao passo que as manobras de manipulação podem significar que seus desejos não serão satisfeitos de modo algum.

Faça perguntas: "O que é que você está *realmente* tentando me dizer?".

Dê informações: "Ser direto requer coragem e ajuda as pessoas a confiar em nós", "Enganar gera desconfiança".

Faça descrições imparciais: "Você não está sendo direto comigo. Gosto quando podemos nos abrir um com o outro".

Procure mostrar alternativas: "Ou você se abre comigo, ou então volte a falar comigo quando se comportar como gente honesta".

Mostre a seus filhos que você está mais que disposto(a) a ajudá-los a realizar seus desejos quando eles pedem o que querem de uma forma sincera.

Quando os filhos pedem à mãe alguma coisa que o pai já negou, ou vice-versa, diga algo como: "Essa história é entre você e seu pai. Me deixa fora disso". Se, digamos, você diz a seus filhos para escovar os dentes e eles respondem: "O papai diz que não preciso escovar os dentes no sábado", diga: "Quem está responsável por você agora sou eu, não o seu pai". Quando vocês têm de fato discordâncias a respeito da criação dos filhos, não discutam seus problemas na frente deles, nem sabotem – de nenhuma forma – a autoridade um do outro. As crianças adaptam-se facilmente a estilos diferentes de educação e a diferentes filosofias. Na verdade, é saudável para eles perceberem que as pessoas têm de fato opiniões diferentes sobre as coisas, e que isso não é problema.

Contar vantagem

Por que

As crianças contam vantagem para convencer outras pessoas de que são melhores do que pensam ser. De alguma forma, sua auto-estima andou baixa no passado e elas estão lutando para recuperá-la.

Conseqüências lógicas

Quando seus filhos contam vantagem, vão arcar com todas as conseqüências que merecem por parte daqueles que têm de agüentar suas histórias. Mas diga-lhes como a maioria das pessoas reage, para que tenham o que pensar quando seus amigos levantam as mãos para o alto e lhes viram as costas.

Soluções em termos de auto-orientação

Ensine seus filhos a encontrar formas de aceitar quem eles são e descobrir *seu próprio* valor. Com o tempo, esses pensamentos podem ser incorporados a seu diálogo interno.

Faça perguntas a seus filhos para estimular seu diálogo interno: "Como se sente quando alguém está contando vantagem para você? Não é chato?".

Use descrições imparciais e dê informações: "Tive a impressão de que Johnny torceu o nariz quando você estava falando de todos aqueles prêmios de caratê que você ganhou. Pode tê-lo irritado". "Em nossa família, procuramos fazer nossos amigos se sentirem bem consigo mesmos, em vez de tentar provar que somos melhores."

Represente com seus filhos algumas situações nas quais as pessoas ficam contando vantagem, primeiro você, depois eles fazendo o papel do gabola. Repetindo: isso vai ajudá-los a desenvolver o diálogo interno acerca da questão.

Crimes

Por que

As crianças cometem crimes para satisfazer sua curiosidade, por ceder à pressão do grupo do qual fazem parte, para financiar uma droga em que estejam viciadas, para se sentirem poderosas, para chamar a atenção, para dar vazão a sentimentos de ciúme ou para se vingar.

Conseqüências lógicas

Independentemente da natureza do crime, seus filhos precisam entender toda a extensão das conseqüências jurídicas. Não suborne ninguém para tirá-los do apuro, não discuta com as autoridades, não os ajude a encontrar desculpas nem procure salvá-los de nenhuma outra forma.

Se descobrir que seus filhos roubaram uma loja, obrigue-os a devolver pessoalmente os artigos roubados, acompanhados de um sincero pedido de desculpas.

Se descobrir que você foi roubado, não obrigue seus filhos a confessar. Em vez disso, diga-lhes que espera que o objeto reapareça em uma hora, ou o custo do tal objeto será dividido entre eles e descontado da mesada de todos.

Faça seus filhos compensarem as vítimas de alguma forma. Se destruíram alguma coisa de propósito na loja da esquina, obrigue-os a limpar a sujeira, a pagar pelo conserto e a trabalhar lá nos fins de semana (sem remuneração) por um certo período de tempo. Evidentemente, os pedidos de desculpas feitos pessoalmente são a primeira providência.

Responsabilize seus filhos pelos custos de todos os honorários jurídicos, atestados e multas. Bem, se eles tiverem de ganhar o dinheiro quebrando pedras no quintal com o furador de gelo, que seja!

Tire tudo o que tiver sido usado para cometer o crime. Se foram pegos dirigindo em alta velocidade ou bêbados, tire o carro. Se quebraram a vidraça de alguém com uma espingardinha de chumbo, confisque a arma.

Aja com rigor. Faça-os ir para a cama bem mais cedo, não lhes permita saírem de sua vista sem supervisão de um adulto, leve-os de carro para a escola e acompanhe-os até a classe, proíba qualquer associação com os amigos atuais com quem eles parecem estar fazendo escolhas erradas, e assim por diante. Diga-lhes que vai soltar as rédeas quando *você* achar que eles vão respeitar o bem-estar e a propriedade dos outros.

Soluções em termos de auto-orientação

Faça perguntas: "Como você acha que o sr. Parsons se sentiu quando você roubou doces da loja dele?", "Você acha que tirar coisas dos outros é um sinal de força ou fraqueza?", "O que o levou a fazer isso?", "O que está pensando em fazer para consertar a situação?".

Se já cometeram crimes no passado, faça seus filhos visitarem a cadeia local, sentar-se numa cela vazia, usar um par de algemas e conversar com alguns dos policiais.

Faça descrições imparciais e dê informações: "A família Miller respeita a lei", "Não toleramos transgressões à lei em nossa família", "Parece que ser pego roubando numa loja dificultou bastante a sua vida por um tempo. Você parece muito pra baixo desde que isso aconteceu".

Crueldade com os animais

Por que

Às vezes as crianças têm um amor tão grande por seus bichinhos de estimação que, sem saber, quase os sufocam de tanto apertá-los. Alguns têm curiosidade em saber o que acontece quando chutam, dão cotoveladas ou atiram o gato no outro lado da sala. Em raras ocasiões, as crianças têm uma doença psiquiátrica que as leva a ter impulsos sádicos.

Conseqüências lógicas

Leve o animal para longe de seu filho. Se não podem brincar delicadamente com seus bichos de estimação, não devem ter permissão de desfrutar dos benefícios de brincar com eles.

Se o comportamento persistir, dê o animal a alguém que vai cuidar melhor dele.

Pergunte na Sociedade Protetora dos Animais mais próxima de sua casa se o seu filho pode fazer um trabalho voluntário lá durante um ou dois fins de semana.

Soluções em termos de auto-orientação

Pergunte-lhes como se sentiriam se alguém os tratasse da mesma forma. Diga-lhes o que pode acontecer ao animal se eles continuarem a submetê-lo a tratamento cruel.

Use descrições imparciais e dê informações: "Brownie parece assustada e triste depois de ter sido tratada daquele jeito". "Agredir um animal é uma crueldade que não é permitida em nossa família."

Use a abordagem quando-então: "Quando você tratar seu *hamster* melhor, então vai poder tê-lo de volta".

Dê uma opção a seu filho: "Jane, ou você trata o cachorro melhor, ou vamos ter de dá-lo para a tia Sally, que eu sei que irá tratá-lo com mais respeito".

Pergunte a seus filhos o que estavam sentindo naquele momento e ajude-os a encontrar alternativas para a expressão desses sentimentos.

Culpar os outros (não assumir responsabilidade pelos próprios atos)

Por que

A maioria das crianças não quer parecer inadequada na frente dos outros. E certamente não quer ser ridicularizada, criticada ou castigada por seus erros.

Conseqüências lógicas

Em primeiro lugar, nunca desmascare as mentiras de seus filhos. Adiante, no tópico "Mentiras" falaremos mais a respeito. Se suspeitar que estão fazendo algo errado, faça com que corrijam ou consertem as coisas de uma forma ou de outra. Por exemplo: se você encontrar as paredes da garagem cobertas de tinta lavável, dê a cada um de seus filhos um balde d'água e diga-lhes: "É todo seu". Mesmo que os inocentes tenham de pagar pelos pecadores, vão ficar com os bíceps mais fortes. Em outras palavras, "mal não vai fazer!".

Faça com que seus filhos cuidem dos sentimentos daqueles que acusaram injustamente por seus próprios erros.

Soluções em termos de auto-orientação

Se os seus filhos não aceitam a responsabilidade por um erro que cometeram, diga-lhes simplesmente que você não nasceu ontem. Essa candura frustra as tentativas deles de criarem racionalizações que, por sua vez, podem evoluir no sentido de enganarem a si próprios.

Use descrições imparciais e dê informações: "Em nossa família, acreditamos que é importante assumir a responsabilidade pelos próprios atos", "Lembro-me de que você prometeu a Josh que iria terminar o trabalho esta semana".

Apresente alternativas: "Quando assumir a responsabilidade pelos seus atos, aí você vai ter os privilégios que acompanham um nível maior de maturidade".

Ajude seus filhos a entabular o diálogo interno de que precisam para evitar transferir a culpa para os outros. Fazer perguntas é perfeito para isso: "Você não prometeu a Josh que terminaria seu trabalho esta semana?", "Por que você acha que está tentando culpá-lo pelo fato de o trabalho ainda não estar pronto?", "Como se sente quando alguém acusa você injustamente?", "O que pode fazer para consertar as coisas?".

Diga a seus filhos que cometer erros não é o maior dos problemas; mas, uma vez cometidos, devem se concentrar imediatamente numa solução, em vez de ficar procurando outro para bode expiatório.

Admita francamente seus próprios erros e falhas diante de seus filhos. Você não tem como educá-los para ser responsáveis por seus atos se você mesmo não se responsabiliza pelos seus. E fazer isso vai ajudá-los a se sentir mais à vontade para lidar com os próprios erros por meio do diálogo interno.

Lembre aquelas vezes em que seus filhos tiveram realmente uma atitude responsável: "Mary, aposto que você está muito orgulhosa de ter assumido o seu erro e descoberto uma forma de corrigi-lo. Não conheço muitos adultos capazes disso!" (Infelizmente, é verdade.)

Dê a seus filhos tarefas apropriadas à sua idade pelas quais possam se responsabilizar. Se fracassarem, destaque tudo o que fizeram certo apesar do mau resultado final, oriente-os no sentido de corrigir os erros e incentive-os a continuar tentando. As crianças que aprendem a se recuperar das derrotas em geral são indivíduos extremamente responsáveis.

Cuspir

Por que

As crianças cospem para criar uma situação, para parecer duronas ou para mostrar agressividade quando não sabem como resolver seus conflitos com palavras.

Conseqüências lógicas

Se os seus filhos cuspirem em outra pessoa, você deve exigir que eles limpem e peçam desculpas. Se cuspirem em algum lugar, e não numa pessoa, devem limpar a sujeira pessoalmente e pedir desculpas aos espectadores. Se cuspir for um grande problema, separe-os de suas "vítimas". Afinal de contas, se não conseguem se comportar direito com os outros, vão ter de ser afastados deles.

Soluções em termos de auto-orientação

Use o humor: faça uma declaração oficial de que a família Fox vive numa zona onde é proibido cuspir. Faça de conta que está lendo notícias do jornal a respeito do Rio de Cuspe, cujas ondas se encapelam ao passar pela planície pluvial ao lado da casa dos Johnsons.

Ensine seus filhos a resolver seus conflitos com conversas.

Apresente alternativas: "Quando você decidir conversar em vez de cuspir para resolver seus desentendimentos, aí vai poder brincar com seus amigos de novo".

Faça descrições imparciais e dê informações: "Vi você cuspir na calçada. A maioria das pessoas acha cuspir uma coisa repugnante", "A tuberculose e outras doenças podem ser transmitidas pelo cuspe".

Faça perguntas: "Qual é a nossa regra a respeito de cuspir?", "Como você acha que a Nadine está se sentindo neste momento?", "O que você precisa fazer para fazer as pazes com ela?".

Desentendimentos com os amigos

Por que

Algumas discussões com amigos incluem brigas, fazer brincadeiras maldosas, ceder à pressão deles, associar-se com a turma errada e ter amigos abusivos. As crianças enfrentam esse tipo de problema simplesmente porque as pessoas são diferentes. Têm diferentes idéias e opiniões e, quando são novas, tendem a querer que os outros concordem com tudo o que elas dizem e em que acreditam. É por isso que os amigos se desentendem. E por que a turma sempre fala mais alto, os amigos tendem a aprontar uns com os outros. As crianças precisam de anos de prática para descobrir com que tipo de amigo vão se dar bem do ponto de vista de gostos pessoais, da personalidade, do estilo de comunicação e da velha e boa química.

Conseqüências lógicas

Se os seus filhos têm as brigas costumeiras com os amigos, mantenha distância delas. Não se intrometa querendo salvá-los. Os sopapos trocados funcionam como uma conseqüência natural.

Se os seus filhos entrarem em conflito com um certo amigo ou grupo, proíba-os de se encontrarem durante algum tempo. Diga algo como: "Não posso deixar você sair com o Bob enquanto não tiver certeza de que você vai saber fazer as escolhas certas quando estiver com ele".

Se os seus filhos cederem à pressão dos amigos, deixe-os sofrer as conseqüências naturais que certamente se seguirão e proíba-os de se encontrarem durante algum tempo. Por exemplo: se comprarem bebida alcoólica com um RG falso, faça-os devolver a garrafa ao dono da loja com um pedido de desculpas. Mas nunca culpe o grupo de amigos. Diga-lhes que fizeram escolhas erradas na presença desses amigos, não *por causa* deles.

Se os seus filhos arranjarem amigos que são mesquinhos, controladores ou abusivos, deixe-os resolver o problema sozinhos em vez de procurar salvá-los da situação. Se essas amizades causarem problemas mais sérios, como envolver seus filhos em atividades que são ilegais, imorais ou perigosas, interfira proibindo a relação. Quem sabe? Seus filhos podem até lhe agradecer por isso.

Soluções em termos de auto-orientação

Mostre empatia com frases como esta: "Sei o quanto você dá valor à amizade com Katie. Você deve ter ficado muito magoada quando ela ridicularizou você daquele jeito". Conte suas próprias histórias de horror com seus amigos, para que eles saibam que não são os únicos a enfrentar esse tipo de problema.

Represente situações envolvendo pressão dos amigos, discussões, ostracismo, etc.

Conte-lhes como é que você resolve os conflitos que surgem de vez em quando com seus amigos.

Nunca critique as escolhas que seus filhos fazem em relação a amizades. Quando um amigo não serve para eles, eles logo vão perceber. Nunca interfira quando um amigo vier brincar, mas deixe seu filho em companhia de outros irmãos. Repetindo: acredite que eles podem resolver seus problemas sozinhos.

Ensine a eles a arte de ser um bom amigo, enfatizando traços como cuidado com os sentimentos dos outros e lealdade. Essa arte é importante para o desenvolvimento do diálogo interno necessário para fazer opções certas.

Nunca obrigue seus filhos a fazerem as pazes com os amigos. Se pedirem sua ajuda para mediar um conflito, aí sim você pode intervir.

Apresente alternativas: "Você pode fazer as escolhas certas com Sally agora, mas pode preferir brincar com ela quando você puder fazer essas escolhas certas", "Se você não consegue evitar transgredir as regras quando está com Sam e Mike, então vai ter de arranjar outros amigos com quem possa tomar decisões mais acertadas".

Procure fazer descrições imparciais e dar informações: "Nossa família dá valor à amizade", "Todos devemos aprender a dar valor às próprias opiniões e idéias, mais até que às de nossos amigos", "Estou vendo que você e Josh não estão se dando bem ultimamente. Você é inteligente; sei que vai encontrar uma forma de consertar as coisas entre vocês".

Faça perguntas: "Por que você e Sarah estão se desentendendo?", "Consegue pensar em alguma coisa diferente que poderia ter feito para resolver o problema?", "O que planeja fazer a respeito?". No caso de pressão da turma e alguma maldade intencional: "Quais são as regras em relação a destruir a propriedade dos outros?", "Por que você resolveu que tinha de fazer o que seus amigos lhe disseram para fazer?", "O que você acha que eles teriam dito se você tivesse se recusado?".

Desperdício

Por que

As crianças desperdiçam quando não tiveram de passar pelas conseqüências desse comportamento, ou quando não o compreendem.

Conseqüências lógicas

Quando seus filhos desperdiçam as coisas, devem passar sem aquelas que jogaram fora, ou substituí-las. Por exemplo: quando se servem de pratos enormes e comem só um pouquinho, devem ser obrigados a comer o que deixaram na refeição seguinte. Se gastarem toda a tinta da impressora fazendo 300 cópias de um desenho seu, obrigue-os a ir à papelaria comprar um cartucho novo de tinta com o próprio dinheiro. Se quebrarem de propósito o lápis novinho em folha, devem ficar sem ele e usar lápis de cera para terminar o dever de casa.

Soluções em termos de auto-orientação

Mostre a seus filhos a importância de conservar os recursos, sejam de que tipo for.

Faça perguntas: "Quais são as regras a respeito de desperdício? Por que temos essas regras? Como é que você pretende compensar o seu desperdício?", "O que aconteceria se todos fossem esbanjadores?".

Faça descrições imparciais e dê informações: "Você deixou a luz do seu quarto acesa quando saiu para a escola. Nossa conta de luz já está bem alta nesse verão", "Em nossa família, não achamos legal desperdiçar comida", "A água é um recurso precioso. É uma boa idéia desligar a torneira quando estamos escovando os dentes".

Apresente alternativas: "Se você ainda estiver com fome, pode terminar aquele segundo prato que você encheu, ou então guardá-lo para o almoço de amanhã", "Quando eu tiver certeza de que você não é mais tão desastrado com a cola, vou deixar que a use sem supervisão".

Faça observações quando eles não estiverem desperdiçando as coisas: "Notei que você teve o cuidado de desligar as luzes do seu quarto quando saiu hoje de manhã. Com o tempo, isso vai diminuir nossa conta de luz. Gostei muito disso, viu?".

Desrespeito

Por que

As crianças mostram desrespeito porque querem testar seus limites e explorar a extensão de seu poder sobre nós. Algumas mostram desrespeito porque lhes demos um modelo de desrespeito com nosso comportamento. Algumas usam-no como forma de rebeldia contra pais ultracontroladores. E algumas porque permitimos no passado.

Conseqüências lógicas

Quando seus filhos retrucam, agem desrespeitosamente ou mostram qualquer outra forma de grosseria, não deixe o problema passar em brancas nuvens. Diga algo como: "Não vou escutar suas palavras impensadas. Você vai ter de sair da sala e voltar quando tiver condições de se comportar bem".

Faça-os pedir desculpas pelo comportamento grosseiro.

Soluções em termos de auto-orientação

Reformule suas frases desrespeitosas, como no seguinte exemplo:

Richard: "Detesto quando você não me deixa brincar lá fora até mais tarde."

Mãe: "Não posso brincar lá fora até mais tarde, mamãe? O.k., obrigado de qualquer forma."

Procure fazer descrições imparciais e dar informações: "Notei que você não respondeu à sra. Hardin quando ela lhe perguntou como você estava passando. Ela pareceu ofendida por sua falta de respeito".

Apresente alternativas: "Ou você mostra respeito pelos pais de Tommy, ou não vai ter permissão de ir brincar lá", "Quando aprender a mostrar respeito pela bibliotecária, a sra. Godfrey, aí você vai poder voltar à biblioteca".

Desrespeito aos horários

Por que

As crianças desrespeitam os horários porque perdem a noção do tempo, por serem suficientemente ingênuas para achar que não precisam de horário, porque estão se divertindo tanto que fica difícil parar, porque querem ser tratadas como se fossem mais velhas do que realmente são ou por quererem se rebelar contra um controle exagerado.

Conseqüências lógicas

Não importa que horário as crianças deixaram de respeitar (do uso do telefone ou hora de voltar para casa); o toque de recolher deve soar automaticamente uma hora ou duas mais cedo durante um período que pode variar de uma semana a um mês, dependendo da gravidade da transgressão. Você pode ignorar essa conseqüência se houver um motivo razoável ou se foi a primeira vez.

Para transgressores inveterados, tire os privilégios de uso do telefone ou proíba-os de sair de casa à noite, dependendo do tipo de horário desrespeitado.

Soluções em termos de auto-orientação

Não imponha horários excessivamente rigorosos. Tudo depende do grau de responsabilidade de seus filhos, onde planejam ir, o grau de segurança de seu bairro e assim por diante.

Faça descrições imparciais e dê informações: "Você está usando o telefone depois do horário combinado".

Faça perguntas: "Até que horas você tem permissão de usar o telefone?", "Por que acha que existe essa regra?", "Que horas são agora?".

Apresente alternativas: "Lisa, ou você respeita os horários de uso do telefone, ou vou tirar a extensão do seu quarto", "Bob, quando você respeitar os horários de uso do telefone, vai poder usar novamente o telefone".

Use o humor: pregue uma ilustração de um telefone absolutamente exausto (com a língua de fora e tudo) na extensão deles quando estiver se aproximando o fim do seu horário de uso.

Destruição de propriedade

Por que

As crianças que se dão ao trabalho de destruir a propriedade dos outros fazem isso quando se sentem impotentes, quando estão com raiva ou quando querem se vingar.

Conseqüências lógicas

As crianças devem ser obrigadas a restaurar qualquer propriedade destruída a seu estado original. Isso significa usar uma escova para limpar a pichação da parede, ganhar dinheiro para comprar um novo vaso para substituir o que quebraram com sua bola e assim por diante. Ensine seus filhos a pedir desculpas por seus atos.

Soluções em termos de auto-orientação

Procure entender os sentimentos de seus filhos: "Você está com muita raiva de sua irmã. Às vezes eu também sinto. Mas use palavras em vez de quebrar a cabeça da Barbie da próxima vez".

Ensine a seus filhos formas melhores de expressar a raiva. Técnicas de relaxamento como a meditação podem ajudar. Você também pode representar situações que geralmente os irritam.

Faça descrições imparciais e dê informações: "Você quebrou meu gravador. Isso me chateou muito. Eu o tinha há muito tempo", "Quebrar as coisas dos outros faz com que eles fiquem com muita raiva".

Faça perguntas: "Por que você quebrou o toca-CD da Sally?", "Como é que você se sentiria se alguém quebrasse o seu?".

Apresente alternativas: "Se insistir em colorir os móveis novos, não vou mais deixar você brincar com lápis de cera".

Discutir com os pais

Por que

Discutir de forma imprópria costuma ser um meio de as crianças testarem seus limites ou dar vazão à tensão. Algumas se sentem excessivamente controladas e discutem como forma de rebeldia. A maioria ainda não tem experiência de encontrar formas respeitosas de resolver um conflito.

Conseqüências lógicas

Quando seus filhos discutirem com você de maneira desrespeitosa, peça-lhes que saiam da sala. Você não precisa submeter-se a nenhuma grosseria desnecessária.

Soluções em termos de auto-orientação

Apresente alternativas ou faça observações: "Brandon, parece que você está com raiva de mim por mandá-lo arrumar seu quarto. O que você acha que eu deveria ter feito?", "Eu fico irritada e frustrada quando você fala comigo desse jeito", "Tom, ou você me diz por que está com tanta raiva de uma forma respeitosa, ou saia da sala e tente de novo depois de esfriar a cabeça".

Faça perguntas: "Quais são nossas regras em relação a discutir de forma desrespeitosa?", "Por que você acha que temos essas regras?", "Como é que pode defender seu ponto de vista sem transgredir essas regras?", "O que você precisa fazer para consertar as coisas?".

Use o humor para diminuir a tensão: coloque um aviso na testa com os seguintes dizeres: "Chute-me. O que é bom para o nosso Johnny é bom para mim".

Doença (fingida)

Por que

As crianças fingem que estão doentes para chamar a atenção e para fugir de coisas que não gostam de fazer, principalmente dever de casa.

Conseqüências lógicas

Se você tiver certeza de que seu filho está fingindo que está doente para fugir de alguma coisa, diga algo como "Você está ótimo, Lucas. Vista-se e coma antes que perca o ônibus. Está muito quente hoje para ir a pé para a escola".

Soluções em termos de auto-orientação

Nunca recompense seus filhos quando eles estão *realmente* doentes comprando-lhes presentes ou exagerando nos beijos, abraços, etc. Essa atitude faz com que eles internalizem a idéia de que doença é sinônimo de demonstrações de amor e afeto e ensina-lhes uma tática de manipulação. É a influência externa no seu auge (ou no seu ponto mais baixo).

Descubra o que seus filhos estão querendo evitar. Por exemplo: se estão tendo dificuldades com uma matéria na escola, discuta essa dificuldade com o professor e reserve algum tempo para ajudá-los a superá-la. Se houver um problema social, como um valentão que os está intimidando, ajude-os a encontrar formas de fazer uma trégua ou de resolver o conflito de alguma outra forma. Represente a situação com eles, mudando de papéis, até que se sintam confiantes de que podem fazer as coisas reverterem em seu favor.

Fazer perguntas também funciona: "Você não parece tão doente assim que tenha de faltar à escola. Há alguma coisa que você está querendo evitar? O que vai acontecer se continuar a evitá-la? O problema vai acabar se resolvendo sozinho?", "O que pode acontecer se você continuar perdendo aula desse jeito?".

Entrar para uma seita

Por que

Alguns adolescentes entram para seitas com o intuito de testar sua filosofia, de se rebelar contra o conformismo ou de se vingar contra um pai ou mãe ultracontrolador. Outros procuram consolo na multidão. E a identidade que parecem não encontrar dentro de si lhes é prontamente oferecida numa bandeja de prata por certos grupos. As seitas costumam usar controle mental e outros métodos de persuasão para atrair novos membros. Depois de iniciados, os adolescentes têm proteção, a sensação de fazer parte de um grupo e algo em que acreditar.

Conseqüências lógicas

Se os seus filhos se envolverem com alguma seita, arranque-os de lá, pelo amor de Deus! A liberdade de expressão tem seus limites quando há questões de segurança em jogo. Seja como for, as seitas em geral impõem suas crenças nos adolescentes pela coação.

Aumente a supervisão. Faça soar o toque de recolher muito mais cedo, não permita que saiam de sua vista sem a companhia de um adulto, leve-os de carro para a escola e escolte-os pessoalmente até a sala de aula, proíba qualquer associação com os amigos atuais, com quem parecem estar fazendo escolhas erradas, etc. Diga-lhes que as rédeas serão afrouxadas quando você achar que vão entrar em associações mais saudáveis.

Soluções em termos de auto-orientação

Seus filhos precisam saber o que você acha que eles têm de único e intransferível. Diga-lhes que você se orgulha deles exatamente como são e que você acha uma sorte ser pai ou mãe deles. É importante para eles incorporarem essas idéias para reforçar seu senso de identidade e dar força àquela voz interior que lhes diz que não precisam ir muito longe em busca do que querem.

Verifique se você não está sendo controlador(a) demais. O controle exagerado pode torná-los muito vulneráveis às influências externas, o que, por sua vez, faz com que acabem buscando a conformidade com outros grupos para ter a sensação de que fazem parte de algo maior.

Faça descrições imparciais e dê informações: "Em nossa família, não deixamos os grupos nos obrigarem a trocar a individualidade por suas filosofias religiosas".

Faça perguntas: "Qual é o objetivo por trás desse grupo?", "Conte-me o que acha atraente nessa filosofia", "O que o motivou a participar desse grupo?", "Alguma vez fizeram você se sentir constrangido?". Muitas vezes, sua adesão é tão superficial que, quando você os faz pensar nos detalhes, a coisa toda desmorona.

Trabalhe com seus filhos no sentido de construir associações saudáveis com seus amigos, como participar de um time de basquete do bairro, adquirir uma nova capacidade ou envolver-se com as organizações religiosas para jovens. Repetindo: esse envolvimento lhes dá a autoconfiança de que precisam para ter suas próprias opiniões no tocante a quem são, em vez de depender da opinião dos outros.

Envolvimento com uma gangue

Por que

Algumas crianças entram para uma gangue para se rebelar contra o conformismo, para ter a sensação de poder, para se vingar de um pai ou uma mãe ultracontrolador(a) ou para ter a sensação de pertencer a um grupo que não têm em casa. Procuram a força da turma reunida em torno de um inimigo comum.

Conseqüências lógicas

Se os seus filhos se envolverem com uma gangue, proíba essa associação, pelo amor de Deus!

As conseqüências lógicas do envolvimento com uma gangue são as mesmas daquelas de participação em seitas. Ver "Entrar para uma seita" nesta seção.

Soluções em termos de auto-orientação

Os envolvimentos com gangues e seitas pedem as mesmas soluções. Ver "Entrar para uma seita" para dispor de detalhes.

Faça com que seu ex-membro de gangue dê palestras em escolas de ensino médio da sua cidade. Também podem se oferecer para prestar serviços à comunidade a fim de reparar alguns danos provocados por gangues no seu bairro, como pichação ou vidraças quebradas.

Escovar os dentes e outras questões de higiene

Por que

Ei, eles têm coisas mais interessantes a fazer; o que mais posso dizer?

Você acha realmente que tomar banho antes do jantar ou pentear os cabelos acaba com a adrenalina deles? Será que cortar as unhas vai fazer a espinha deles doer? Duvido sinceramente. Nesse caso, provavelmente você tem uma família muito chata.

Conseqüências lógicas

Quando seus filhos não penteiam o cabelo nem tomam banho regularmente, uma hora um de seus amigos vai lhe fazer uma observação penosa. Diga-lhes como *você* se sente com a aparência e o cheiro deles, mas nunca os repreenda.

Ninguém se senta à mesa de jantar sem antes lavar as mãos. Sem limpeza não há refeição. Quanto à higiene dental, não é tão fácil assim. Quando não escovam os dentes sozinhos, escove-os para eles. Se já têm dezessete anos, vão sapatear com a idéia de você escovar os dentes deles enquanto o(a) namorado(a) espera na porta.

Unhas compridas são horrorosas e anti-higiênicas, mãos sujas cheiram mal e ficam repugnantes quando eles enfiam o dedo no nariz, e as roupas andam sozinhas quando não são lavadas. Em outras palavras, os hábitos de higiene pessoal em geral têm um sistema inerente de conseqüências que funciona muito bem.

Soluções em termos de auto-orientação

Diga a seus filhos por que lavar as mãos e escovar os dentes é tão importante. Conte alguma história repugnante de vermes intestinais ou fale do espectro dos implantes dentários – se você entrar em desespero.

Use descrições imparciais e dê informações: "Já são 7 horas e você ainda não escovou os dentes".

Apresente alternativas: "Quando terminar de lavar as mãos, aí pode vir se sentar à mesa para jantar".

Use o humor: ponha um aviso perto das escovas de dente com os seguintes dizeres: "Procura-se um novo lar para escovas de dente desprezadas". Olhe dentro de suas bocas e faça de conta que está apavorada, dizendo que os bichinhos do açúcar estão abrindo um buraco enorme nos molares para poderem instalar um novo *shopping center* lá dentro.

Se os seus filhos não penteiam o cabelo de manhã e parecem um cruzamento de Don King com um pequinês, quem se importa? Certo, eles podem se deparar com uma enxurrada de críticas desagradáveis de seus amigos, mas esperamos que venham a tomar suas decisões com base em *suas próprias* opiniões. Se o problema começar a ficar muito grave, eles vão passar a se pentear, acredite. Quando simplesmente se esquecem de "fazer o que têm de fazer", mas detestam parecer muito arrumados de manhã, ajude-os a se lembrar de uma forma não condenatória: "Lucas, você se aprontou para a escola num instante. Vejamos. Está vestido, já comeu, escovou os dentes e preparou a merenda. Agora só falta pentear um pouco esse cabelo".

Esquecimento

Por que

Às vezes, as crianças simplesmente têm outras coisas na cabeça. Além disso, quando fazemos muito *por* elas, elas não aprendem a assumir responsabilidades que exigem que elas se lembrem das coisas. E também, ora bolas, todo mundo se esquece de alguma coisa uma hora.

Conseqüências lógicas

Se esquecer virou hábito, faça suas crianças colherem os frutos. Por exemplo: se esquecerem de levar o lanche para a escola mais de duas ou três vezes durante o ano letivo, pare de lhes dar retaguarda. Ligue para a escola e peça para não emprestarem nenhum dinheiro para o lanche das crianças; você quer que elas sintam um pouco de fome. A fome vai lhes servir de lembrete da próxima vez.

Soluções em termos de auto-orientação

Não há problema algum em mostrar empatia por eles: "Puxa, que pena você ter esquecido seu dever de casa. Eu ficava frustradíssima sempre que esse tipo de coisa me acontecia".

Não deixe seus filhos usarem o velho truque do "me esqueci" como forma de passar por cima das coisas que não gostam de fazer. Esse tipo de comportamento é apenas uma racionalização que depois alimenta todo aquele processo de enganar a si mesmo.

Use o humor: chegue perto de seu filho e, sem dizer palavra, amarre cordõezinhos em todos os seus dedos.

Faça perguntas: "O que você pode fazer para se lembrar de seus deveres de casa?", "O que acontece quando você se esquece de fazer um deles?", "Como se sente quando isso acontece?".

Faça descrições imparciais: "Parece que você não tem estratégia nenhuma para se lembrar de suas obrigações de babá. Talvez eu possa ajudar você com algumas que davam certo comigo".

Apresente alternativas: "Você pode tentar arranjar formas de se organizar a fim de não se esquecer de suas reuniões de bandeirante, senão é melhor desistir, não acha?".

Exigências

Por que

As crianças fazem exigências porque, no caso de famílias permissivas, é uma forma de conseguirem o que querem e, no caso de pais ultracontroladores, é uma forma de expressar rebeldia e raiva. Às vezes as crianças fazem exigências porque ainda não sabem satisfazer algumas de suas necessidades sozinhas. E algumas crianças simplesmente são mal-educadas.

Vamos discutir cinco tipos de exigência: exigência de atenção indevida, exigência para fazermos coisas para eles, exigência de gratificação imediata, exigência para ceder a seus caprichos (roupas de marca, etc.) e exigência por coisas (brinquedos, doces, etc.).

Conseqüências lógicas

Exigência de atenção indevida

Quando seus filhos exigem uma atenção indevida, providencie para que seja exatamente o que *não* vão receber. Deve ficar bem claro para eles que esse tipo de exigência é problema *deles*. Se for necessário, tranque-se em um quarto separado deles ou faça um passeio sozinho.

Exigência para fazermos coisas para eles

Não faça nada para eles a não ser que peçam com educação e não possam resolver o problema sozinhos. É claro que não há problema algum em fazer pequenos favores, mesmo quando eles *têm* condições de fazer certas coisas sozinhos, porque essa é uma forma de lhes mostrar que os amamos. Mas tudo com moderação, gente. Por isso, quando Johnny disser: "Prepare meus cereais agora", responda: "A hora em que mais gosto de ajudar você é quando sinto vontade, e quando você faz exigências como essa, não sinto a menor vontade de sair correndo para atendê-las".

Exigência de gratificação imediata

Quando nossos filhos exigem alguma coisa para já, esse se torna instantaneamente um motivo para *não* lhes dar o que querem. Eles devem saber que se fizerem seus pedidos de forma educada e razoável suas chances de conseguirem o que querem aumentam.

Quando seus filhos têm problemas com a gratificação imediata em relação às suas compras pessoais, imponha um mínimo de duas semanas entre a manifestação de um desejo e sua satisfação.

Exigência para ceder a seus caprichos

Quando nossos filhos exigem o melhor, não dê, pelo amor de Deus! Ensine às crianças a arte e a beleza da simplicidade, e o valor do dinheiro. As crianças precisam aprender que não podem ter tudo o que querem na vida.

Exigência por coisas

Se os seus filhos pegaram a febre do "me dá", afaste-os da fonte da tentação. Se você está numa loja de brinquedos, enfie-os no carro e vá para casa. Se estiver no supermercado, eles devem esperar lá fora. Se fizerem exigências, não lhes dê o que eles querem.

Soluções em termos de auto-orientação

Exigência de atenção indevida

Promova a independência dando a seus filhos tarefas que requerem níveis cada vez maiores de dificuldade à medida que eles forem crescendo. Não faça tudo por eles.

Faça perguntas: "Como você acha que me sinto quando você fica querendo que eu preste atenção em você o tempo todo?", "O que você pode fazer para atender suas próprias necessidades agora?".

Faça descrições imparciais e dê informações: "Parece que você está querendo que seu irmão brinque com você o tempo todo. Ele está ficando frustrado, porque ele tem coisas que precisa fazer sozinho".

Use o humor: finja estar sem ar e faça sons horríveis de quem está lutando para respirar. No desespero, diga-lhes que há um polvo enorme te sufocando (eles), sugando a vida que há dentro de você.

Exigência para fazermos coisas para eles

Estimule-os a fim de que eles próprios façam as coisas que estão nos pedindo. "A fada do leite está de folga hoje. Veja o que você pode fazer para você mesmo se servir." Ou então: "Você já está tão grande, aposto que pode encontrar uma forma de se servir sozinho".

Ensine seus filhos a fazer as coisas apropriadas para sua idade. Se você fizer tudo para eles o tempo todo, eles nunca vão aprender a se virar sozinhos. Oriente-os para que eles próprios façam as coisas que nos pedem para fazer:

Tom: "Quero um copo de leite!"
Pai: "O que você precisa para tomar seu copo de leite?"

Tom: "Mas não tem nenhum copo limpo!"
Pai: "O que você pode fazer para ter um copo limpo?"
Tom: "Lavar um, eu acho."
Pai: "Ótimo! Você quer que eu ajude a tirar o leite da geladeira, já que é muito pesado?"

Procure fazer descrições imparciais e dar informações: "Em nossa família, pedimos as coisas com educação", "Você não está pedindo; está mandando".

Use o humor: represente o papel de um empregado exausto, repetindo inúmeras vezes frases como "Sim, senhor, mais alguma coisa, senhor?" entre os arquejos.

Exigência de gratificação imediata

Quando seus filhos exigirem gratificação imediata, ensine-lhes a paciência. Faça com eles todo o processo de raciocínio. "Por que você quer tanto aquele aparelho de som?", "E se você descobrisse alguma outra coisa que você quer e já tivesse gasto todo o seu dinheiro?". Se puderem fazer a compra, pergunte-lhes depois se sentiram algum arrependimento, se ainda estão curtindo a tal compra tanto quanto no começo, etc.

Faça descrições imparciais e dê informações: "Você acabou de comprar aqueles patins a semana passada, e faz dias que nem olha para eles", "Quando esperamos algumas semanas antes de comprar uma coisa cara, às vezes acabamos percebendo que não era exatamente o que queríamos".

Exigência para ceder a seus caprichos

Informe a seus filhos que sua obrigação é vesti-los, não decorá-los. Se querem roupas de marca, vão ter de arcar com a diferença.

Procure fazer perguntas: "Há muita pressão para ter roupas de marca hoje em dia? Você acha isso bom?".

Faça descrições imparciais e dê informações: "Há montes de bicicletas mais baratas que parecem maravilhosas, e o dinheiro economizado pode ser usado para comprar uma outra coisa depois".

Ensine-os desde cedo a ser responsáveis e práticos com o dinheiro. Gosto da idéia de dar uma mesada aos adolescentes com a qual possam comprar tudo de que precisam, menos casa e comida. Cortes de cabelo, roupas, refeições na rua, merenda escolar, gasolina, seguro do carro, entradas de cinema, etc. – tudo isso sai do bolso deles. Acredite-me, eles vão pensar duas vezes antes de comprar um tênis de R$ 360,00.

Exigência por coisas

Antes de ir a algum lugar que pode tentar seus filhos a terem uma crise grave de consumismo, apresente-lhes algumas regras: "Vamos à loja de brinquedo comprar um presente de aniversário para o seu amigo. Se você me pedir um brinquedo, vamos ter de voltar para casa na mesma hora. Se não me pedir nada, a gente pode ficar um tempinho só olhando".

Para eles pararem de fazer exigências, você *tem* de parar de ceder a elas. O fato de você dar, dar, dar é uma perigosa influência externa.

Faça perguntas: "Como você se sentiria se alguém ficasse o tempo todo lhe pedindo para comprar coisas?".

Dê opções: "Quando você parar com essa crise de 'me dá', aí vai poder sair comigo outra vez para fazer compras", "Se você se recusar a parar de me pedir o tempo todo para lhe comprar doces, vou ter de trazê-lo para casa".

Tente o humor: "O gênio da garrafa não mora mais aqui. Seus pedidos não podem ser satisfeitos".

Faça descrições imparciais e dê informações: "Você sempre me pede para comprar doces na fila do caixa, apesar de eu nunca lhe dar", "Não permitimos crises de consumismo em nossa família", "Ficar o tempo todo insistindo para lhe comprar coisas é falta de educação, além de ser muito chato".

Falta de espírito esportivo

Por que

Algumas crianças simplesmente não conseguem competir. Sempre que perdem, interpretam a derrota como um ataque pessoal contra sua auto-estima e vingam-se com comentários amargos, insultos, jogando as peças do jogo para o alto e rangendo os dentes. O fato de a sociedade (e alguns pais) incentivarem uma atitude de vencedor/perdedor e estar tão voltada para a competição só joga mais lenha na fogueira.

Conseqüências lógicas

Quando seus filhos mostrarem falta de espírito esportivo, não se deve permitir que continuem competindo. Se a sua má conduta ocorre no final do jogo, não podem jogar da próxima vez. Diga algo como: "Não posso deixar você jogar enquanto não tiver certeza de que vai ter mais espírito esportivo".

Faça seus filhos pedirem desculpas a quem quer que tenha sido vítima de sua falta de espírito esportivo.

Soluções em termos de auto-orientação

Promova os jogos cooperativos em vez de incentivar os competitivos, principalmente no caso das crianças menores que ainda não têm a maturidade social e cognitiva necessária para lidar com a derrota. Não deixe seus filhos vencerem o tempo todo quando você jogar com eles. Eles precisam entender que não podem esperar vencer em tudo.

Faça do espírito esportivo uma parte da identidade da família: "Temos muito espírito esportivo em nossa família".

Dê a seus filhos o amor incondicional de que eles precisam. Quando eles ganharem ou perderem em algum tipo de competição, concentre seus comentários no esforço despendido, na sua participação, no fato de terem se divertido e no fato de terem jogado bem como parte de um time.

Quando seus filhos estiverem envolvidos num esporte ou jogo competitivo que tem um daqueles treinadores com aquela atitude de "Vamos esmagar o inimigo! Vencer! Vencer! Vencer!", tire-os. O mesmo se aplica àqueles esportes nos quais os pais dos membros do time estão sedentos de sangue.

Faça perguntas: "Estou vendo que você está muito chateado por ter perdido aquela partida de futebol. Quais são nossas regras sobre o espírito esportivo?", "Como você se sente quando perde o espírito esportivo – melhor ou pior?".

Represente situações que inspirem seu filho a ter mais espírito esportivo.

Faça descrições imparciais e dê informações: "Estou vendo que você tem um belo espírito esportivo. Sei que é difícil quando a gente acaba de perder um jogo importante. Você deve se sentir muito orgulhoso de si mesmo. Parece que essa atitude também fez você ganhar o respeito de seus amigos".

Sempre que assistir a jogos ou competições esportivas de qualquer tipo com seus filhos, comente e discuta o espírito esportivo dos competidores.

Falta de modos

Por que

As crianças mostram falta de cortesia porque não lhes foram ensinados alguns modos, porque são expostas a modelos descorteses ou simplesmente porque esquecem.

Conseqüências lógicas

Quando seus filhos não dizem "por favor", não faça o que estão lhe pedindo. Quando se esquecerem de dizer "obrigado", tire aquilo que eles deviam ter agradecido até eles se lembrarem. Quando têm falta de modos à mesa, faça-os sair até se comportarem com civilidade.

Se mostrarem uma falta de modos gritante e deliberada, peça-lhes para saírem da sala até terem modos.

Soluções em termos de auto-orientação

Prepare uma lista dos comportamentos que você quer que seus filhos adotem e pregue-a num lugar acessível. Certifique-se de que eles saibam por que cada um deles é importante.

Se se esquecerem de dizer "por favor" ou "obrigado", sirva-lhes de modelo dizendo em alto e bom som: "Obrigado por me ajudar com meu dever de casa, papai". Repita até eles também dizerem a frase.

Inclua as boas maneiras na identidade de sua família.

Procure usar o humor: se você tem um bando de animais selvagens em casa, procure usar seus piores comportamentos e ver como isso os afeta. Tome a sopa fazendo bastante barulho, interrompa-os quando estiverem falando, passe por cima deles para pegar a tigela de ervilhas, coma com as mãos e sim, você pode espirrar em cima da comida e enfiar o dedo no nariz. Momentos desesperados exigem medidas desesperadas.

Faça perguntas e descrições imparciais e dê informações: "Percebi que você se esqueceu de responder ao sr. Thomas quando ele falou com você. Bons modos são uma forma importante de mostrar respeito. Como você acha que ele se sentiu?", "Como você se sentiria se alguém com quem eu estivesse conversando não se desse ao trabalho de se apresentar a você?".

Fazer-se de coitado

Por que

Ficar amuado e fazer-se de coitado são apenas formas silenciosas de um ataque de raiva. E, francamente, não se restringem às crianças! As pessoas usam essa forma de comportamento para conseguir o que querem, para chamar atenção ou para se vingar. As crianças que são hipercontroladas pelos pais ficam amuadas ou se fazem de coitadas porque nunca têm a chance de aprender a pedir o que querem com palavras. As crianças que têm pais permissivos ficam amuadas porque funciona.

Conseqüências lógicas

Crie uma regra segundo a qual quando seus filhos tentarem obter alguma coisa ficando amuados ou se fazendo de coitados, não vão conseguir o que querem de jeito *nenhum*.

Não permita gente que fica amuada ou se faz de coitada perto de você. Vão ter de ir cantar em outra freguesia. Portanto, faça-os sair até terem terminado seu número de "coitadinho de mim".

Soluções em termos de auto-orientação

Nunca deixe o problema deles parecer mais importante para você que para eles. Não os repreenda, nem ameace, nem castigue ou ridicularize o fato de estarem amuados ou se fazendo de coitados. Deixe seus filhos resolverem seus problemas sozinhos. Caso sinta compulsão de interferir, saia da sala. Lembre-se: "Isso só me aborrece!".

Represente situações que tendam a incitar a criança a ficar amuada ou a se fazer de coitada.

Faça perguntas: "O que você está tentando me dizer? Preciso de palavras para compreendê-lo!", "Você acha que seu comportamento vai fazer você conseguir o que quer?", "Você gosta quando outras pessoas ficam amuadas com você ou se fazendo de coitadas?", "Como se sente quando elas fazem isso?".

Apresente alternativas: "Você quer ficar amuado no seu quarto ou ficar aqui e pensar numa solução para o seu problema?".

Use a técnica minimalista: chame a atenção de seus filhos dizendo o nome deles em voz alta. Depois erga o lábio que caiu abaixo do queixo e use os dedos para transformar a boca num sorriso.

Fazer-se de incapaz

Por que

Nossos filhos fazem o número do relativamente incapaz quando querem chamar a atenção, quando querem nos controlar ou manipular, quando querem se vingar, quando não querem mais fazer alguma coisa, ou quando realmente precisam de ajuda.

Conseqüências lógicas

Se os seus filhos tiverem realmente condições de resolver a parada sozinhos, não se deixe envolver com o problema deles. Basta dizer algo como: "Estou vendo que você está com problemas. Mas você é um menino inteligente, sou capaz de apostar que vai conseguir encontrar uma solução logo, logo".

Deixe seus filhos arcarem com as conseqüências: se estiverem com dificuldade demais para embrulhar o lanche da escola, deixe-os ir para a aula sem o lanche. Se estiverem com dificuldade demais para subir as escadas e pegar o suéter, deixe-os ir para a escola como um picolé humano. Se estiverem com dificuldade demais para amarrar os cadarços do sapato, diga algo do tipo: "Podemos ir para a pracinha assim que você puser os sapatos. De quanto tempo acha que vai precisar? Se for demorar mais de cinco minutos, posso aproveitar para tomar mais uma xícara de café". É isso aí.

Soluções em termos de auto-orientação

Nunca ridicularize nem castigue seus filhos por se fingirem de incapazes. Fazer isso vai levá-los a se concentrar em fatores externos na hora de tomar decisões.

Se precisarem realmente de ajuda, não os deixe choramingar aquelas duas palavrinhas infames: "Não consigo". Peça-lhes para dizer algo como: "Ajude-me, por favor". Assim eles podem refletir internamente sobre o que conseguem fazer direito, em vez de pensar no que não conseguem fazer de jeito nenhum. Desse modo, eles se concentram mais na sua independência parcial do que na dependência completa. Portanto, veja se consegue fazer com que eles realizem pelo menos partes da tarefa que *têm condições* de realizar.

Incentive a independência de seus filhos deixando-os realizar pequenas façanhas desde cedo. Não faça por eles as coisas que eles podem aprender a fazer sozinhos.

Apresente-lhes alternativas: "Depois que você encontrar seu casaco, a gente pode sair e brincar na neve", "Depois que terminar de arrumar aquela bagunça, vai ter mais tempo para brincar na casa de Sally".

Faça perguntas: "Quais são as regras em relação a usar o cinto de segurança?", "Você conseguiu ontem, o que há de diferente hoje?".

Use o humor: quando se fizerem de incapazes, dê-lhes um par de muletas ou um rolo de esparadrapo. Pegue-os no colo e saia rodando com eles. Quando começarem a dar risadinhas de prazer, diga-lhes que tem muita pena de pobres crianças incapazes e não tem como evitar vir em seu socorro (depois insista para eles tentarem realizar a tal tarefa de novo, claro).

Fobia da escola

Por que

Algumas crianças são hiperprotegidas e dependentes demais do pai ou da mãe. Algumas são agorafóbicas (têm medo de lugares públicos e de multidões), algumas sofrem de depressão e outras têm pavor de críticas, avaliações e fracasso.

Conseqüências lógicas

Escute, ir para a escola é inegociável. Eles têm de ir, aconteça o que acontecer. Se quiserem ir de pijama, é problema deles.

Soluções em termos de auto-orientação

Reconheça o medo de seus filhos: "Sei que você não quer ir para a escola e que vai ficar um pouco nervoso no começo, mas tenho fé de que você vai superar esses receios".

Não se agarre a seus filhos por causa de alguma ansiedade em relação à separação que *você* tenha! Eles conseguem perceber os sinais mais sutis de que você não acredita que eles vão superar o problema deles sozinhos.

Dê a seus filhos responsabilidades apropriadas à idade desde cedo. Não faça tudo por eles, nem saia correndo para salvá-los de experiências difíceis e erros. Você precisa enviar constantemente a mensagem de que acredita que eles podem resolver os problemas deles sozinhos.

Ensine seus filhos tudo o que eles precisam para se recuperar de derrotas, como já foi discutido antes neste livro, para que eles não tenham medo de assumir riscos e cometer erros.

Faça descrições imparciais e dê informações: "É comum ficar nervoso antes de ir para a escola", "Quando as pessoas enfrentam aquilo de que têm medo, em geral elas vão tendo cada vez menos medo com o passar do tempo".

Fugir de casa

Por que

Há várias razões pelas quais as crianças fogem de casa. Algumas fazem isso por causa de uma situação familiar instável (divórcio, morte na família, abuso sexual, maus-tratos físicos ou problemas dos pais com álcool ou drogas). Algumas fogem como reação a excesso de controle, negligência, amor condicional. Outras procuram exercer poder, obter atenção indevida, manipular ou punir os pais. Outras ainda sofrem agudas crises pessoais como gravidez, vício em drogas ou problemas com a lei. Algumas são deprimidas e algumas simplesmente estão em busca de aventuras ou são influenciadas a fugir por seus amigos.

Conseqüências lógicas

Certamente não há conseqüências naturais para alguém que foge de casa, mas há conseqüências lógicas. Aumente o controle sobre a criança transformando-se em sua sombra. Diga-lhe que, enquanto não tiver certeza de que ela não vai tentar fugir, você não vai dar moleza.

Soluções em termos de auto-orientação

Se a criança for pequena e estiver obviamente blefando na porta da rua com as malas vazias na mão, diga adeus sem levantar os olhos do jornal. "Sinto muito que você esteja indo embora, Billy. Vou sentir muito a sua falta, mas a escolha é sua. Escreva quando conseguir trabalho." Assim ela não pode usar a ameaça de fugir de casa como tática de manipulação. O problema continua sendo exclusivamente dela.

Faça um exame profundo da dinâmica de sua família. Seus filhos estão sendo controlados demais? Têm bastantes opções? Ajude-os a definir seu papel ou nicho na família. Eles precisam entender o quanto são importantes para todos.

Usando aquela lista bem detalhada dos prós e contras, e outras técnicas mencionadas antes neste livro, ajude seus filhos a enfrentarem os problemas dos quais podem estar querendo fugir.

Diálogo, diálogo, diálogo. Reserve tempo para ouvir e compreender seus filhos sem refutar o que eles dizem, sem tentar dar a última palavra e sem que suas palavras entrem por um ouvido e saiam pelo outro. A maioria das crianças que foge de casa queixa-se de que seus pais não as compreendem ou não lhes dão ouvidos.

Faça perguntas: "Que problemas você está tendo que fez isso parecer a única solução para você?", "Em que outras opções você poderia pensar?".

Procure dar informações: "Seu tio Phil fugiu de casa quando tinha dezesseis anos e estas são as conseqüências que ele teve de agüentar." (Faça a maior lista que puder e tão vívida quanto possível!)

Gritaria e barulho

Por que

As crianças são seres expressivos e desinibidos por natureza, inclusive na forma de se expressar verbalmente.

Conseqüências lógicas

Quando seus filhos gritam demais dentro de casa, ponha-os para fora. Diga-lhes que podem voltar quando estiverem dispostos a usar um "tom de voz adequado para dentro de casa".

Se ligarem o som muito alto, faça-os desligar o aparelho. Diga-lhes que tem medo de que lesem o ouvido e, como sua tarefa é garantir sua segurança e saúde, o aparelho de som está proibido até eles resolverem ouvir música numa faixa aceitável de decibéis. Se essa abordagem não funcionar, tire-lhes o aparelho de som durante algum tempo.

Se os seus filhos forem muito ruidosos em lugares públicos, leve-os para casa.

Soluções em termos de auto-orientação

Permita uma quantidade aceitável de "barulho saudável" em sua casa. Se você tem crianças pequenas, não espere que o ambiente fique tão silencioso a ponto de você poder escutar um alfinete cair no chão, porque isso não vai acontecer nessa vida, não mesmo. Não grite nem berre quando eles estiverem fazendo barulho. Dá a impressão de que você tem dois pesos e duas medidas.

Não repreenda nem castigue seus filhos pelo barulho que fazem, porque essa abordagem só os motiva a entrar numa grande (e em geral ruidosa) briga de poder orientada por fatores externos.

Faça observações quando eles estiverem sendo razoáveis e não estiverem fazendo muito barulho: "Vocês estão brincando tão quietinhos. Faz nossa casa inteira parecer calma e feliz!".

Dê informações e faça descrições imparciais: "A barulheira que vocês estão fazendo está começando a me dar dor de cabeça. Vocês vão ter de ir brincar lá fora".

Faça perguntas: "Como *vocês* se sentiriam se alguém fizesse tanto barulho que você não conseguisse escutar nem o seu próprio pensamento?", "O que você precisa fazer agora para que haja um pouco mais de sossego por aqui?".

Hábitos desagradáveis

Por que

Quase todos têm habitozinhos desagradáveis, como enfiar o dedo no nariz, roer unhas, etc, mas quando se trata dos nossos filhos, a gente sai do sério. Por isso falamos, falamos, falamos e falamos até que a história acaba se transformando numa terrível luta de poder que alimenta o hábito. Algumas crianças adquirem esse hábito por causa de estresse, outras porque têm um problema físico, como um tique nervoso, e outras por nenhum motivo especial.

Conseqüências lógicas

Se os seus filhos adquirirem um hábito repugnante como enfiar o dedo no nariz, afaste-os do grupo: "Ninguém gosta de ver outra pessoa tirando caca do nariz, Adam. Você vai ter de sair da sala para poupá-los da cena".

Soluções em termos de auto-orientação

Nunca repreenda nem censure seus filhos para eles pararem com aquilo. Em vez disso, dê-lhes opções: "Debbie, você pode muito bem limpar o nariz com um cotonete, desde que seja privadamente".

Use descrições imparciais e dê informações: "Limpar o nariz com o dedo é um hábito asqueroso. Não permitimos isso em público, e muito menos à mesa".

Faça perguntas: "Frank, como você acha que os outros se sentem quando eles vêem você com o dedo no nariz?".

Use técnicas minimalistas: "Harry, nariz". Aponte para seu nariz e diga o nome da criança: "Jane".

Use o humor: "Faxina da primavera, Thomas?", "Encontrou alguma coisa interessante?".

Pergunte a seus filhos o que os leva a roer as unhas, a pigarrear incessantemente e assim por diante. É por estarem nervosos? Se for, talvez a fonte do nervosismo esteja em alguma coisa em relação à qual você pode ajudar.

Insistência

Por que

Algumas crianças sabem que, se insistirem bastante de uma maneira que até os gatos perderiam todos os seus pêlos se ouvissem seus gritos, elas conseguirão o que querem.

Conseqüências lógicas

É importante que você não assuma a sensação de urgência que seus filhos criam quando insistem muito para fazer alguma coisa. Sua atitude aqui deve ser apenas "Hum, hum". Muitas conseqüências funcionam bem. Por exemplo: quando seus filhos insistem muito para ir à pracinha quando você já lhes disse que tem uma reunião importante, você pode suspender suas idas à pracinha por uma semana.

Também ajuda mandá-los embora do cômodo da casa em que você está. Você não tem de se submeter à irritação. Eles podem ser desagradáveis no espaço *deles*.

Se você lhes oferecer alguma compensação, e eles insistirem em ter algo melhor, a oferta original torna-se nula e vazia.

Soluções em termos de auto-orientação

A menos que seja óbvio, dê-lhes uma explicação para não ceder a seus desejos. Essa informação é importante para eles gerarem o diálogo interno necessário no futuro.

Fazer perguntas pode ajudá-los a desenvolver esse diálogo interior: "Quais são as regras em relação a ficar insistindo para fazer alguma coisa?", "Por que você acha que temos essas regras?", "O que você poderia fazer de diferente da próxima vez?".

Use descrições imparciais e dê informações: "Na nossa família, insistir muito é a melhor forma de as pessoas não fazerem o que você quer".

Dê alternativas: "Quando você parar de insistir desse jeito, aí podemos ouvir todos os seus possíveis argumentos razoáveis para conseguir o que quer".

Use o humor: "Acho que estou ouvindo a sirene da insistência!" (imite o som da sirene da polícia – não se preocupe, a imitação melhora com a prática – depois diga o seguinte, numa voz séria e cheia de autoridade: "Encoste o carro no acostamento, minha senhora. Tenho em mãos uma queixa dos vizinhos sobre a violação do artigo 2467 do código penal por insistência incessante. Sabe quais são os seus direitos?".

Insultos e zombarias

Por que

As crianças torturam verbalmente quando estão com ciúme, quando querem vingança, quando querem parecer duronas e poderosas ou quando estão com raiva e não sabem resolver seus conflitos de formas aceitáveis.

Conseqüências lógicas

Quando seus filhos zombam ou xingam alguém com palavrões, em geral sofrem todas as conseqüências naturais que precisam sofrer nas mãos dos outros. À medida que crescem e já zombaram deles e os xingaram bastante, eles param. Mas, quando as coisas parecerem despropositadas, afaste-os da outra criança depois de exigir deles que peçam desculpas e consertem a situação de alguma forma. Diga-lhes que vão poder voltar a brincar com seus amigos quando você achar que vão ser mais educados.

Soluções em termos de auto-orientação

Ensine seus filhos a resolver conflitos. Represente situações em que alguém está zombando deles, e vice-versa.

Faça perguntas: "Vi você ridicularizando a Danielle. Quais são as regras a respeito de zombar dos outros? Por que você resolveu fazer isso? Como acha que ela se sentiu quando você zombou dela? Como *você* se sente quando alguém ridiculariza você? De que outras formas você poderia ter dado vazão a seus sentimentos?".

Apresente alternativas: "Você quer entrar ou ficar e ser educado com seus amigos?".

Faça descrições imparciais e dê informações: "Ouvi por acaso você ridicularizando a Jane. Usamos palavras bondosas em nossa família", "Falar palavrões é ofensivo e causa problemas, em vez de resolvê-los. Se tiver um desentendimento com alguém, procurar resolvê-lo com palavras bondosas é muito eficiente".

Interrupções

Por que
As crianças interrompem os outros porque não aprenderam a ser pacientes, porque querem chamar a atenção, porque sentem sua importância ameaçada quando nos concentramos em outras pessoas e, vamos encarar os fatos, porque muitas vezes nós ignoramos o problema.

Conseqüências lógicas
Quando seus filhos interromperem você, diga-lhes para saírem da sala até você terminar de falar. Tire-os da sala pessoalmente, se for preciso, e depois tranque a porta até você terminar de conversar.

Soluções em termos de auto-orientação
Comunique a eles de antemão que você tem um telefonema importante para dar e pergunte-lhes o que planejam fazer para se manterem ocupados durante esse tempo. Esse preparo ajuda-os a refletir internamente sobre uma forma de controlar seu reflexo *urgus interruptus*.

Represente com seus filhos algumas situações envolvendo interrupção. Pergunte-lhes sobre seu dia e, quando começarem a lhe contar, fale a respeito do seu. Isso vai deixá-los malucos. Em seguida, pergunte-lhes se acharam difícil se concentrar no que estavam dizendo enquanto você falava.

Apresente-lhes alternativas: "Quando eu terminar essa conversa, vou poder lhe dar toda a minha atenção".

Faça perguntas: "Quais são as regras sobre interrupção?", "Como você acha que essas interrupções fazem com que eu me sinta?", "Como acha que a pessoa com quem estou conversando se sente?".

Faça descrições imparciais e dê informações: "Interromper as pessoas é falta de educação. É difícil falar e ouvir ao mesmo tempo". Se seus filhos não interromperem você, diga: "Você não me interrompeu dessa vez quando eu estava falando ao telefone, de modo que consegui resolver as coisas num instante. Agora vamos ter tempo de fazer aquele piquenique na pracinha!".

Intimidação

Por que

Alguns valentões sentem-se tão impotentes e rejeitados que precisam se agarrar a qualquer coisa para dar a impressão de ter poder, como controlar, intimidar e ameaçar. Muitas dessas crianças acham que não são benquistos entre seus amigos. Outras não foram criadas com limites, ou ninguém nunca lhes falou das conseqüências de seus atos agressivos.

Conseqüências lógicas

Quando seus filhos intimidam outras crianças, não lhes deve ser permitido brincar com elas enquanto não estiverem preparados para fazer outras escolhas. Quando você os separar do resto do grupo, explique-lhes os motivos. Toda intimidação deve ser seguida da obrigação de consertar as coisas com suas "vítimas".

Soluções em termos de auto-orientação

Ensine seus filhos a resolver conflitos sem agressões. Por exemplo: represente situações nas quais primeiro você e depois eles fazem o papel do valentão. Depois represente situações diferentes envolvendo interações entre amigos. Esse processo pode incluir pedir um brinquedo emprestado, aceitar um "não" como resposta ou dividir o banco na mesa da cantina da escola.

Ajude seus filhos a descobrir formas de terem um papel significativo dentro de seu grupo de amigos ou familiares. Por exemplo: você pode levar seu filho e alguns de seus melhores amigos ao cinema. Diga-lhe, na frente dos outros, que, como há muitas crianças para você cuidar num espaço público muito cheio, a tarefa dele é fazer com que todos se tratem bem. Seus outros amigos também podem ter suas obrigações, como manter todos juntos num lugar só, fazer com que assistam ao filme em silêncio, ou descobrir se há desconto para estudantes nas entradas.

Fazer perguntas também funciona bem: "Você acha que os valentões são mais ou menos respeitados por seus amigos?", "O que você acha que leva alguém a intimidar outra pessoa?", "O que você acha que os valentões pensam de si mesmos?". (Essas perguntas devem ser feitas em momentos de calmaria, e não quando a criança está intimidando alguém, para evitar com que as perguntas pareçam um ataque pessoal.)

Ofereça opções a seu filho: "Quando você aprender a não intimidar o Jimmy, aí vai poder convidá-lo outra vez para vir aqui brincar com você".

Algumas crianças podem precisar adquirir traquejo social com profissionais num grupo de amigos que tenham problemas semelhantes.

Quando seus filhos são intimidados por outra criança, deixe-os resolver a situação sozinhos, a menos que haja ameaças físicas envolvidas.

Ir a um lugar quando disseram que iam a outro

Por que

Os adolescentes, principalmente, pensam que são mais adultos do que seus pais acham que são e concluem que têm de mentir para expandir suas responsabilidades e privilégios em território desconhecido. Mas, às vezes, eles se dão mal.

Conseqüências lógicas

Se os seus filhos foram a um lugar depois de dizerem que iam a outro, não devem ter permissão de ir a lugar algum durante algum tempo, até você achar que reconquistaram sua confiança.

Soluções em termos de auto-orientação

Nunca castigue seus filhos quando eles disserem a verdade, porque senão eles vão achar que a verdade pode custar caro e deve ser evitada a todo custo. Esse tipo de castigo forma crianças extremamente mentirosas. Não seja ultracontrolador(a). As crianças precisam ter liberdade para dar suas cabeçadas e ser menos que perfeitas se quisermos que se disponham a assumir seus próprios erros, tanto para os outros quanto para si.

Faça perguntas: "Será que estou fazendo alguma coisa que torna difícil me dizer claramente onde é que você vai?".

Faça descrições imparciais e dê informações: "Descobri que você foi à sorveteria à meia-noite em vez de ficar na casa de Josh, como tinha prometido. Aquela região é perigosa à noite. Você e Josh poderiam ter se dado mal", "Mentir faz com que os outros não confiem em você", "Além de exigir coragem, dizer a verdade dá uma sensação de liberdade, de alívio".

Apresente alternativas: "Quando você me provar que posso confiar em você, aí vai ter alguns de seus privilégios sociais de volta".

Irresponsabilidade

Por que

As crianças para quem tudo é feito e que estão sempre sendo salvas das conseqüências de suas decisões erradas tornam-se adultos irresponsáveis que não inspiram a menor confiança.

Conseqüências lógicas

Quando seus filhos não assumem suas responsabilidades, devem arcar com as conseqüências. Quando se esquecerem de devolver o livro que pegaram na biblioteca, têm de pagar a multa do próprio bolso. Se não fizerem aquelas coisas que você lhes pede para fazer, tire-lhes alguns de seus privilégios. Diga-lhes que o nível de privilégios deve corresponder ao nível de confiabilidade e responsabilidade, ambos vinculados a seu nível de maturidade.

Soluções em termos de auto-orientação

Não salve seus filhos das conseqüências de seus erros. Não os proteja das experiências.

Dê a seus filhos responsabilidades apropriadas para a idade desde cedo, em vez de fazer tudo por eles o tempo todo. Ensine seus filhos a se recuperarem das derrotas, como já foi discutido antes neste livro.

Nunca repreenda, ameace, rotule ou castigue seus filhos quando eles não cumprirem suas obrigações.

Faça perguntas: "Você não fez suas obrigações hoje de manhã. Por que acha tão importante ser uma pessoa com a qual se pode contar? Você acha que pode perder o emprego por causa de suas decisões erradas?".

Faça descrições imparciais e dê informações: "A sra. Jones disse que você não pegou a correspondência quando ela saiu de férias, conforme havia prometido. Em nossa família, costumamos cumprir a palavra dada".

Faça observações naquelas vezes em que eles *forem* responsáveis. "Notei que você pegou as fitas alugadas para eu devolver à loja de vídeo. Foi uma coisa que certamente me ajudou. E gosto de sentir que posso contar com você".

Levantar cedo

Por que

Às vezes, aquelas manhãs de segunda são curtas demais. Como nós, as crianças têm dificuldade de sair da cama quente e aconchegante e se aprontar para o dia que têm pela frente.

Conseqüências lógicas

Quando seus filhos dormem demais habitualmente e já têm idade suficiente para fazer o despertador funcionar, deixe-os se atrasarem para a escola. Combine com seus professores para eles fazerem do problema um cavalo de batalha quando eles finalmente chegarem à sala de aula.

Quando seus filhos têm dificuldade de se aprontar para a escola, deixe-os chegar atrasados ou saia sem eles para levar os outros irmãos ou ir trabalhar. Quando se atrasarem para pegar o ônibus, faça-os ir a pé ou de bicicleta se as condições de segurança, a idade e a proximidade permitirem. Se não puder ficar esperando que seus filhos se aprontem todos a tempo, porque fazer isso vai levar você a se atrasar para o trabalho, faça-os reembolsá-lo pelo tempo extra de que precisa para levá-los de carro para a escola.

Soluções em termos de auto-orientação

Quando meus filhos desligam seus despertadores chatos e viram para o lado para voltar a dormir, em geral lhes digo: "Já é tarde, mas tudo bem. Acho que ficar sem o café-da-manhã de vez em quando não mata ninguém".

Nunca os repreenda ou grite com eles. Isso só alimenta uma luta de poder entre você e seus filhos, ainda por cima totalmente dirigida por fatores externos.

Nunca deixe que os problemas deles para se levantar e se aprontar de manhã fiquem mais importantes para você do que para eles. Dê a entender que você não liga a mínima se eles chegarem atrasados na aula, de pijama, com fome, de dentes sujos e com os cabelos fazendo-os parecer um aborígine.

Faça observações quando eles fizerem sua rotina matinal a tempo: "Estou vendo que você já comeu, já se vestiu e escovou os dentes. Puxa, agora tem dez minutos sobrando para você ver desenho animado!". Se esquecerem uma parte de sua rotina, você pode dizer algo como: "Olhe só para você, Annika. Você está vestida, preparou um belo café-da-manhã e penteou muito bem os seus cabelos. Agora só falta escovar os dentes!".

Dê informações: "O ônibus vai passar em quinze minutos".

Faça descrições imparciais: "Saímos em dez minutos e você ainda não tomou seu café-da-manhã. Espero que dê tempo. O almoço só é servido à uma da tarde".

Faça perguntas: "São 7:15. A que horas o ônibus passa?", "O que ainda falta para você estar pronto para a escola?", "Vocês estão correndo um atrás do outro. Se continuarem brigando, o que vai acontecer?".

Malandragem e protelações constantes

Por que

Embora todas as crianças de vez em quando se esqueçam ou se distraiam, muita malandragem ou protelações constantes de suas tarefas é algo para chamar a atenção, para fugir ao fracasso, para evitar a tomada de decisões, para readquirir um certo poder diante de pais exageradamente controladores ou para se vingar. É uma tática passivo-agressiva que lhes permite continuar com suas escolhas erradas de uma forma dissimulada.

Conseqüências lógicas

Deixe seus filhos sofrerem as conseqüências naturais que certamente os atingirão pelas costas quando ficam adiando a realização de suas tarefas. Não os desculpe pela observação de "Trabalho incompleto" em seus deveres de casa. Não os leve para a escola de carro quando perderem o ônibus.

Se a malandragem deles cria problemas para você, faça-os compensá-lo devidamente. "Você não levou o lixo para fora a tempo, de modo que tive de sair correndo atrás do caminhão quando o ouvi passar em frente de nossa casa. Perdi quinze minutos do meu tempo. Você me deve quinze minutos de trabalho braçal."

Soluções em termos de auto-orientação

Mostre o mais completo desinteresse por suas muitas desculpas por se atrasarem ou não terem terminado de fazer alguma coisa. Delegar esses problemas a outras pessoas permite que nossos filhos lavem as mãos e, por conseguinte, reflitam internamente a esse respeito.

Verifique se os pedidos feitos a seus filhos foram atendidos. Por exemplo: suponha que você peça a um deles dez vezes para levar o lixo para fora, a que ele responde "Já vai, pai" todas as vezes. E então você se esquece do assunto e a mamãe é que acaba saindo correndo com o lixo atrás do caminhão. Você acaba de provar a eles que adiar a execução das tarefas é uma forma eficiente de fazer o que querem!

Faça descrições imparciais: "Você não terminou o resumo do livro, que é para entregar amanhã. Tenho certeza de que a sra. Withers dá zero em trabalhos incompletos".

Apresente alternativas: "Depois que terminar seu dever de casa, aí você pode sair e brincar".

Faça perguntas: "Por que é tão difícil para você fazer as suas tarefas?", "O difícil para você é começar ou terminar um trabalho?".

Matar aula

Por que

As crianças faltam às aulas quando estão tendo dificuldades no aprendizado, quando querem testar os limites de seu poder, quando estão sob pressão dos amigos nesse sentido, quando estão deprimidas ou quando estão tentando evitar alguma outra fonte de estresse na escola, inclusive situações sociais complicadas.

Conseqüências lógicas

Se os seus filhos estão matando aula, diga-lhes que você vai ter de escoltá-los até a sala de aula e deixá-los nas suas carteiras pessoalmente até ter certeza de que eles não vão faltar às aulas outra vez. Obrigue-os a pedir desculpas aos professores por perder suas aulas.

Soluções em termos de auto-orientação

Discuta com seus filhos a importância da educação. Mantenha as linhas de comunicação entre vocês desobstruídas. Incentive-os a falar de seus problemas na escola ouvindo-os espontaneamente e com simpatia.

Faça descrições imparciais e dê informações: "Sua professora me disse que você matou aula duas vezes na semana passada. As crianças que perdem muitas aulas acabam repetindo de ano por faltas. Aposto que você vai se sentir muito mal vendo seus amigos passando de ano enquanto você fica para trás".

Apresente alternativas: "Quando você resolver parar de faltar às aulas, aí não vou mais ter de acompanhá-lo até a escola pessoalmente".

Estude o círculo de amigos de seus filhos. Se os amigos também costumam matar aula, proíba a amizade até seus filhos poderem fazer opções melhores de companhia. Converse com os outros pais para colocarem em prática um plano conjunto.

Materialismo e consumismo

Ver "Exigências" (em relação a coisas, a cedermos a seus caprichos e à gratificação imediata).

Mau comportamento na escola

Por que

Uma grande parte daquela energia que é tolerada em casa não pode ser tolerada num ambiente escolar, onde as crianças têm de prestar atenção e aprender outras coisas além dos sons que saem da boca de Mary quando seu rabo-de-cavalo é puxado. De vez em quando, as crianças comportam-se mal na escola porque não têm atenção suficiente em casa, por estarem com a auto-estima baixa ou por sentirem que não têm um nicho ou papel significativo na classe. A má conduta é sua forma equivocada de satisfazer essas necessidades.

Conseqüências lógicas

Dê aos professores permissão de fazerem seus filhos sofrer as conseqüências de seu mau comportamento. Se mesmo assim eles ainda continuarem problemáticos, peça à administração da escola para chamar você para os pegar. Acredite se quiser, as crianças raramente vêem sair da escola cedo como uma recompensa. Ao menos não nessas circunstâncias. Mas, para garantir os resultados dessa medida, não as deixe ter nenhum divertimento quando chegarem em casa. Mantenha-as no quarto fazendo seus deveres de casa, quer tenham ou não alguma outra obrigação.

Faça-as corrigir o problema que causaram. Se necessário, obrigue-as a pedir desculpas à classe toda. Se não quiserem passar por constrangimentos, precisam fazer escolhas mais razoáveis.

Soluções em termos de auto-orientação

Pergunte aos professores se você pode ajudar com os trabalhos da classe uma tarde por semana durante algum tempo. Você vai observar muita coisa enquanto está recortando seus ursinhos marrons de sacos de papel e essa presença pode lhe dar uma certa compreensão do que motiva seus filhos a se comportarem do jeito que se comportam. Com essa compreensão, você pode ajudar melhor os seus filhos a resolverem os problemas de comportamento na escola.

Faça perguntas: "Quais são as regras a respeito de comportamento na escola?", "Você acha que é fácil ou difícil para seus amigos aprenderem e terminarem seu trabalho quando você perturba a classe daquele jeito?".

Faça descrições imparciais e dê informações: "Sua professora me disse que você fica distraindo seus colegas. Um comportamento desses torna mais difícil para você e para seus amigos aprenderem. Quando fica difícil aprender, sua relação com a professora e com o resto da classe pode ficar mais complicada".

Converse com a professora a respeito de seus filhos encontrarem um papel significativo para desempenhar na classe. Quando as crianças acham que têm algo com que contribuir, seu comportamento melhora. Eu pessoalmente gosto de descobrir um papel que esteja ligado de alguma forma a seu problema de comportamento. Por exemplo: se o problema da Suzy é ficar falando na classe o tempo todo, encarregue-a de fazer a todos os colegas um sinal secreto quando estiverem começando a fazer barulho demais. Se o Jimmy tende a sair o tempo todo do lugar quando a classe está indo em fila para a lanchonete na hora do almoço, faça com que se responsabilize pela manutenção da fila durante alguns dias.

Mentir

Por que

As crianças mentem para escapar de reprimendas, desaprovação, rejeição, passar por ridículo e vergonha. Algumas se sentem presas numa armadilha ou ameaçadas, algumas não querem decepcionar outras pessoas com suas escolhas erradas e outras não querem ferir os sentimentos das pessoas de quem gostam.

Conseqüências lógicas

Quando é óbvio que seus filhos estão mentindo, informe-os de que você não está se deixando enganar. Diga algo como: "Não estou engolindo essa história. Vá resolver seu problema agora mesmo".

Soluções em termos de auto-orientação

Nunca ponha seus filhos numa posição em que eles sintam que não há outra saída além de mentir. Por exemplo: se você encontra seus dois filhos perto de uma parede recém-decorada com rabiscos em *crayon*, não pergunte: "Quem é que fez isso?". Quer dizer, você espera realmente que um deles venha correndo se confessar? Eu *não*! Portanto, simplesmente obrigue *ambos* a resolver o problema dizendo: "Quero que vocês dois peguem um balde d'água e uma esponja e limpem isso aqui imediatamente". Tomando esse tipo de atitude, você os ensina a se concentrarem mais na solução que na culpa. Se os "inocentes" protestarem, diga-lhes que deviam ter ajudado o outro a não se meter em encrenca. As crianças precisam aprender a ser responsáveis por cuidar dos outros, em vez de ter aquela postura de "procurar pelo principal culpado", tão tragicamente comum hoje em dia.

Use afirmações como "percebi que..." em vez de perguntas como "foi você...?". Estas últimas só servem para levá-los à mentira, principalmente quando você já sabe a resposta. Portanto, em vez de perguntar "Você já levou o lixo para fora?", diga "Percebi que o lixo ainda não foi levado para fora. Isso precisa ser feito já".

Mostre que você gosta quando eles dizem a verdade.

Faça perguntas: "Por que você acha que as pessoas mentem?", "Quais podem ser as conseqüências de mentir?", "Quais são as piores coisas que podem acontecer quando você diz a verdade?", "Como se sente quando alguém em quem você confia mente para você?".

Faça descrições imparciais e dê informações: "Mentir torna difícil confiar em você", "Você não está sendo honesto comigo. Vou lhe dar alguns minutos para você pensar bem e depois vamos ter uma conversa franca", "Não acho certo castigar alguém por estar dizendo a verdade".

Torne a confiança parte da identidade familiar: "Em nossa família, gostamos de falar a verdade".

Mexericos

Por que

As crianças fazem mexericos porque não sabem resolver seus problemas sozinhas, porque querem atenção ou porque acham que têm de rebaixar alguém para termos uma opinião melhor a seu respeito. Resultado final: quando tentamos arrumar as coisas, parece que elas pioram. É como tentar consertar um relógio suíço. Você vai ficar catando pecinhas minúsculas o dia todo.

Conseqüências lógicas

Quando seus filhos fazem mexericos, vão atrair sobre si a ira da pessoa que estão traindo.

Soluções em termos de auto-orientação

Crie regras sobre mexericos. Basicamente, as crianças não devem ter permissão para falar da vida alheia, a menos que a vida, uma parte do corpo ou a propriedade estejam em jogo. Ensine seus filhos a resolver seus conflitos verbalmente.

Ponha uma "caixa de mexericos" em algum lugar à mão. Quando tiverem idade suficiente, peça a seus filhos para escrever suas preocupações e colocarem-nas na caixa para serem discutidas mais tarde. Esse adiamento vai ajudar a acabar com aquelas vezes em que eles fofocam só para chamar sua atenção. E também os motiva a pensar se devem ou não resolver a situação sozinhos.

Experimente um desses métodos:

"Você não está fazendo mexericos, está?" (Mensagem: não vou cair nessa, cara!)

"Eu sei que você deve estar com uma raiva danada do Billy. O que vai fazer a respeito?" (Mensagem: compreendo como você se sente e espero que resolva o problema sozinho.)

"Sei que você e o Billy podem resolver a parada sozinhos." (Mensagem: tenho fé em você.)

Faça perguntas: "Você está fazendo mexericos. Quais são as regras a respeito disso?", "O que você pode fazer para resolver seu problema sem a minha ajuda?".

Faça observações quando eles resolverem seus conflitos sozinhos: "Jonathan, percebi que você resolveu as coisas sozinho quando o Tommy começou a xingá-lo com nomes feios. Puxa, como você está maduro!".

Negatividade

Por que

Algumas crianças simplesmente são negativas por natureza. Algumas aprendem a ser com modelos negativos e cínicos. Outras acham realmente que sua negatividade as faz parecer duronas ou interessantes! Outras ainda agem negativamente por estarem estressadas, por estarem dormindo pouco, por estarem deprimidas ou por terem perdido a autoconfiança. E algumas são negativas porque não se sentem especiais no grupo familiar.

Conseqüências lógicas

Quando seus filhos expressam negatividade e pessimismo constantemente sem nenhum bom motivo, diga-lhes para sair da sala e só voltarem quando tiverem algo de positivo e edificante para dizer.

Soluções em termos de auto-orientação

Diga a seus filhos que você está disposto(a) a ouvir suas queixas, mas que também precisa saber de vez em quando das coisas positivas que estão acontecendo na vida deles. Ensine-os que a vida nem sempre nos dá tudo o que nós queremos, mas que a maneira de lidar com nossas frustrações pode fazer toda a diferença do mundo.

Nunca saia correndo para resolver os problemas em relação aos quais seus filhos estão negativos, porque pode ser que suas observações pessimistas sejam estratagemas para fazer você ir em seu socorro.

Verifique se todos os seus filhos têm papéis significativos dentro da família. Eles precisam de um senso de identidade bem forte para ter uma visão positiva da vida.

Peça a seus filhos para fazer experiências com os sentimentos criados por uma visão otimista passando as próximas horas tentando ver tudo de bom que têm as pessoas à sua volta e as situações que estão vivendo. Essa estratégia pode ser exatamente o que eles precisam para sair de seu pântano negativista e, com o tempo, eles podem muito bem internalizar essa atitude.

Nunca repreenda seus filhos para eles deixarem de ser negativos. Não funciona. Às vezes, você só precisa deixá-los em paz. Apresente alternativas: "Quando sentir vontade de falar sobre o que está aborrecendo você, vou estar aqui para ouvir".

Faça perguntas: "Você está se sentindo muito negativo em relação às coisas. O que você acha que gerou essa atitude?" (veja como essa pergunta pode ajudar a *própria* criança a se sentir responsável por aquela situação), "Como você se sente quando vê as coisas desse jeito?", "Como se sente quando está mais positivo?".

Notas baixas

Por que

Em primeiro lugar, não são as notas que são importantes aqui. O que preocupa é que podem ser um indício de que as crianças perderam o entusiasmo pelo aprendizado e por todo e qualquer esforço que ele envolve. Muitas coisas podem levar nossos filhos a ter esse problema: depressão, adiamentos repetidos, métodos de aprendizado inadequados (um aluno cinestético aprendendo apenas com aulas expositivas), o medo de ser estigmatizado e o medo do fracasso.

Conseqüências lógicas

As crianças nunca devem ficar de castigo por tirar notas baixas, a menos que seu desempenho precário seja provocado por opções infelizes: ficar conversando no telefone em vez de fazer os deveres de casa, ir a uma festa em vez de estudar, etc. Se for este o caso, não devem ter permissão de ter nenhuma dessas distrações enquanto os deveres de casa não estiverem terminados.

Soluções em termos de auto-orientação

Dê opções: "James, se terminar seus exercícios de matemática logo, talvez tenha tempo de ir ao cinema com o Billy".

Faça descrições imparciais e dê informações: "Estou vendo que você está assistindo à televisão em vez de trabalhar no resumo do livro. Estou me perguntando o que é que vai acontecer se você não o terminar a tempo".

Use técnicas minimalistas: "Bobby... o projeto de Ciências!".

Use o humor: pregue um aviso nos livros escolares com os seguintes dizeres: "Solitário e ignorado pelo dono atual. Por favor, brinque comigo".

Faça perguntas: "Tommy, aquela dissertação é para esta semana?", "O que você precisa fazer para se dar bem nesse trabalho?".

Procure descobrir que tipo de aluno (visual, multissensorial, auditivo, cinestético, etc.) seus filhos são. Ajude-os a "aprender a aprender" de acordo com seu estilo pessoal e dê sugestões aos professores com respeito a essas linhas.

Ensine seus filhos a lidar com a derrota desde cedo. Dê-lhes pequenos desafios para enfrentar, desafios que não vão ser totalmente devastadores para eles se fracassarem. Observe tudo o que fizerem de certo nessas situações, por mais insignificante ou trivial que pareça.

Dê a entender a seus filhos que você os ama independentemente das notas que tirarem. Ensine a eles que o conhecimento e as qualificações que conseguem e seu amor constante ao saber são as únicas coisas que realmente importam no fim das contas.

Panelinhas

Por que

Muitas crianças se sentem fortes em grupo. As táticas de exclusão das panelinhas fazem as crianças se sentirem melhores que as outras, porque classificam aqueles que não são "membros" do grupo como pessoas inadequadas ou inferiores. Tanto um inimigo comum quanto o fato de se sentirem numa situação privilegiada são fatores que unem mais ainda o grupo.

Conseqüências lógicas

Se você descobrir que seus filhos estão fazendo parte de panelinhas, não devem ter permissão de brincar com esses amigos enquanto as medidas de exclusão não acabarem. Isso significa nada de festas, nada de dormir na casa uns dos outros, nada de programas sociais, etc.

Faça com que seus filhos e os amigos deles descubram formas de manter a coesão do grupo sem excluir os outros. Se quiserem, você pode intermediar as negociações e dar idéias.

Exija que resolvam a situação com qualquer pessoa cujos sentimentos foram feridos devido às táticas exclusivistas da panelinha.

Soluções em termos de auto-orientação

Represente situações em que seus filhos fazem o papel da criança que está sendo excluída.

Faça perguntas: "Como *você* se sentiria se uma turma o excluísse da brincadeira?", "Consegue pensar numa forma de manter a amizade com essas crianças sem ferir os sentimentos dos outros?".

Use descrições imparciais e dê informações: "Estou vendo que Tommy ficou muito chateado quando você e seus amigos lhe disseram que ele não podia brincar de esconde-esconde com vocês", "Não permitimos exclusão em nossa família".

Apresente alternativas também: "Quando você e Sarah puderem ser amigos sem excluir os outros, aí vão poder brincar juntos de novo".

Responsabilize seus filhos pela transformação da panelinha num grupo aberto: "Johnny, você tem tanto jeito para a liderança. Será que não pode ajudar seus amigos a encontrar formas de brincar sem fazer alguém se sentir excluído?". Quando ele perceber os benefícios de um grupo aberto, vai incorporar a experiência para usá-la em qualquer diálogo interno que venha a fazer futuramente.

Pegar coisas dos outros

Por que

A grama do vizinho é sempre mais verde no quarto dos pais e dos irmãos.

Conseqüências lógicas

Ensine seus filhos que a propriedade pessoal dos outros precisa ser respeitada. Se as crianças transgredirem essa regra, devem ser obrigadas a compensar suas "vítimas" de alguma forma. Se uma de minhas filhas quebra o meu batom, pegamos sua mesada e vamos até a loja comprar outro igual. (Na verdade, todos os meus batons estão quebrados agora. Deve ser uma lição difícil de aprender.) Quando eles pegam um objeto de um irmão sem permissão, pagam algo em troca, à guisa de "aluguel" não autorizado. Também devem sempre pedir desculpas.

Soluções em termos de auto-orientação

Faça perguntas: "Por que você achou necessário ler o diário de sua irmã?", "Como acha que ela está se sentindo neste exato minuto?", "Como você se sentiria se alguém mexesse em seus objetos pessoais?", "O que pretende fazer para consertar as coisas entre vocês?".

Você também deve respeitar a propriedade privada de seus filhos. Não mexa nas coisas *deles* sem permissão.

Faça descrições imparciais e dê informações: "Mexer nas coisas dos outros deixa as pessoas furiosas", "É difícil confiar em alguém que mexe nos objetos pessoais dos outros sem permissão", "Notei que você pegou meus sais de banho sem me pedir. Vou achar difícil confiar em você por um bom tempo. O que vai fazer para reconquistar minha confiança?".

Procure apresentar-lhes alternativas: "Se continuar mexendo na minha gaveta de maquiagem, vou ter de pôr um cadeado na gaveta, e você é quem vai pagar".

Use o humor: ponha um aviso na porta do quarto deles com os seguintes dizeres: "Venham, venham todos. Liqüidação. Todos os artigos têm de ser vendidos. Quem chegar primeiro fica com os melhores".

Pegar coisas emprestadas sem devolvê-las

Por que

As crianças distraem-se e esquecem. Algumas simplesmente não pensam no efeito que seus atos têm sobre os outros. Outras não ligam. Outras ainda perdem ou quebram o que pediram emprestado e esperam que se passar bastante tempo a questão será esquecida.

Conseqüências lógicas

Quando seus filhos quebram ou perdem algum objeto que pediram emprestado, ajude-os a encontrar formas de resolver o problema, como ganhar dinheiro para comprar um novo ou fazer tudo o que for possível para consertar o estrago.

Quando seus filhos se esquecem de devolver o que pediram emprestado, certamente não devem ter permissão de pedir aquele objeto emprestado de novo durante algum tempo. Talvez possam se corrigir, tendo que satisfazer alguma vontade da pessoa que emprestou o objeto. Podem até ser obrigados a pagar uma pequena taxa de juros, em dinheiro ou favores pessoais.

Soluções em termos de auto-orientação

Estabeleça regras e limites familiares claros em relação a esse problema. Primeiro, não deve haver "empréstimos" sem permissão do dono do objeto. Segundo, embora os objetos estejam sob seus cuidados, quem pede emprestado é responsável por qualquer coisa que aconteça aos objetos, independentemente de quaisquer "circunstâncias atenuantes" (tradução: desculpas esfarrapadas). Terceiro, deve haver um acordo mútuo a respeito do prazo para devolver o objeto emprestado.

Faça perguntas: "Quais são as regras para fazer empréstimos?", "O que você precisa para ajeitar as coisas entre você e sua irmã?", "Como é que você se sente quando alguém pega alguma coisa sua sem a sua permissão?".

Use descrições imparciais e dê informações: "Estou vendo que você pegou a bicicleta do Tommy emprestada sem ele saber. Aposto que ele vai virar uma fera quando descobrir".

Nunca se envolva com incidentes de empréstimos entre seus filhos e amigos ou irmãos. Deixe-os descobrir suas próprias formas de resolver os conflitos. Se nunca lhes devolvem o que emprestaram, aprendem a não emprestar nada àquela pessoa no futuro, e a outra pessoa aprende que, para inspirar confiança, você tem de ser confiável.

Perder coisas

Por que

As crianças perdem coisas porque assim conseguem a mesma atenção que os mosquitos borrachudos. Deixam a mochila no ônibus enquanto estão conversando com Josh sobre a aula de caratê. Perdem o livro da biblioteca porque o último lugar em que leram foi no balanço do quintal há três dias, e está chovendo desde então. Bem, seja como for, todos nós perdemos coisas de vez em quando.

Conseqüências lógicas

Se os seus filhos perdem coisas o tempo todo, as conseqüências naturais vão se fazer sentir desde que a gente não saia correndo para resolver o problema. Se eles perderem um objeto pessoal, têm três opções: podem procurá-lo e achá-lo, comprar um novo ou ficar sem ele. Se perderam um objeto de outra pessoa, também têm três opções: podem procurá-lo e achá-lo, comprar um novo ou levar "uma dura" de um ex-proprietário enfurecido.

Soluções em termos de auto-orientação

Mostre empatia: "Sei como você está se sentindo. Perdi minha bolsa uma vez e foi horrível ter de passar por toda a trabalheira de substituir todos os meus cartões de crédito e minha carta de motorista".

Faça perguntas: "Por que você acha que põe as coisas no lugar errado com tanta freqüência?", "Será que você poderia inventar um sistema para impedir de perder essas coisas tantas vezes?", "O que você sente quando perde coisas?".

As alternativas funcionam bem quando eles perdem objetos dos outros: "Quando você aprender a cuidar das coisas, aí vai poder pegar meus livros emprestados".

Faça descrições imparciais e dê informações: "Parece que você perde um monte de coisas. Se quiser, posso lhe contar alguns truques que eu usava para me ajudar a lembrar onde eu punha as coisas", "Há um monte de técnicas que você pode usar para não perder as coisas".

Não há problema em ajudá-los a procurar o que perderam, desde que você nunca ache mais importante para você do que para eles encontrar o tal objeto.

Pesadelos

Por que

Como as crianças estão descobrindo coisas novas, percebendo coisas novas em relação à vida e aprendendo a fazer coisas novas, tendem a ter ansiedades que vão se manifestar em seus sonhos.

Conseqüências lógicas

Não arcar com nenhuma conseqüência, porque essa não é considerada uma "transgressão" a ser punida.

Soluções em termos de auto-orientação

Ensine a seus filhos algumas estratégias para acabar com um pesadelo recorrente. Por exemplo: se os seus filhos têm um pesadelo com um grande tubarão branco, faça-os fechar os olhos na cama e fazer mudanças para melhor em seu sonho antes de caírem no sono. Talvez possam fazer de conta que o tubarão se transforma numa bailarina e começa a dançar com eles. É importante fazer com que o elemento de mudança inclua a interação de seus filhos com a fonte do medo, para que possam sentir que têm controle sobre ela.

Reconheça os medos que surgem de seus sonhos ruins. E, quando estiverem suficientemente lúcidos, discuta esses sonhos e todas as questões relacionadas que os podem estar afligindo no momento presente. Essa discussão vai ajudá-los a desenvolver o diálogo interno necessário para enfrentar seus medos mais tarde.

Piercings, tatuagens e outros adornos corporais

Por que

A aparência física é muito importante hoje em dia. E as crianças fazem praticamente *de tudo* para se distinguirem da multidão através de sua aparência física. É como se estivessem com um anúncio de néon em torno do pescoço com os seguintes dizeres: "Olhem para mim, pô! Sou especial!". Infelizmente, metade de seus amigos têm um anúncio igualzinho.

Evidentemente, há questões culturais em jogo. E ainda há a questão do gosto pessoal. Mas se você tiver qualquer problema em relação a seus filhos fazerem alterações permanentes em sua aparência, eis algumas sugestões.

Conseqüências lógicas

Quando seus filhos aceitam as estipulações e limites que você impõe, arrepender-se de sua decisão já é uma conseqüência mais que suficiente.

Soluções em termos de auto-orientação

Acredito firmemente na auto-expressão, mas quando as conseqüências dessa auto-expressão são permanentes, as crianças só devem ter permissão de agir depois que certas condições forem satisfeitas. Por exemplo: imponha um limite de idade de quinze anos. Você pode vetar alterações em certas partes do corpo, como *piercing* nos mamilos (ai!). Para garantir-lhes a oportunidade de sentir as conseqüências de suas decisões, peça-lhes para fazer um ensaio antes. Se é uma tatuagem que querem fazer, precisam antes usar uma tatuagem temporária de *henna*. Se é um *piercing* extra na orelha, faça-os usar brincos magnéticos durante alguns meses antes de fazer novos furos. Se mesmo assim quiserem ir em frente depois dessa fase experimental, deixe! (Mas faça com que *eles* paguem a conta!)

Explique os riscos desses procedimentos. Por exemplo: o *piercing* na língua pode causar uma infecção grave, além de poder alterar a dentição. A pressão constante do metal contra a parte de trás dos dentes empurra-os para a frente. Pode dar errado se não tiverem cuidado.

Enfatize a importância de embelezar o que está dentro deles. Fazer perguntas funciona bem nessas situações: "Qual o grau de importância da aparência das pessoas hoje em dia?", "Você acha essa ênfase na aparência boa ou ruim?", "Você às vezes se sente pressionado a seguir essa tendência?".

Se conseguir se lembrar de algum modismo popular na sua época e agora obsoleto, fale com seus filhos. E se você tem alguma tatuagem ou *piercing* no corpo, diga a seus filhos como se sente a respeito de uma decisão com conseqüências permanentes. "Eu fiquei na maior empolgação para fazer uma tatuagem quando tinha a sua idade, mas agora daria tudo para tirá-la. Faz anos que ela não tem mais nada a ver comigo e me enchi dela".

Pôr a mão em tudo

Por que

As crianças adoram explorar seu mundo com todos os sentidos, e suas patinhas imundas não são exceção!

Conseqüências lógicas

Desde que seus filhos entendam as regras sobre o que podem ou não tocar, deixe-os do lado de fora da loja, por exemplo, se eles resolverem transgredir essas regras. Diga-lhes que não pode levá-los consigo outra vez enquanto não tiver certeza de que eles vão se comportar melhor.

Soluções em termos de auto-orientação

Estabeleça regras claras sobre o que seus filhos podem e não podem tocar, mas não seja restritivo(a) demais.

Nunca repreenda, ameace ou castigue seus filhos por ficarem pondo a mão em tudo o tempo todo, a menos que você goste daquelas lutas de poder entre pais e filhos, orientadas por fatores externos.

Faça perguntas: "Quais são as regras a respeito de pegar em coisas que podem quebrar? O que você vai ter de fazer se quebrar sem querer alguma coisa em que pôs a mão?".

Faça observações quando eles estiverem conseguindo controlar seus impulsos de tocar nas coisas: "Notei que você não está pondo as mãos em tudo o que vê, mesmo havendo tantas coisas tentadoras nessa loja. Adoro trazer você comigo quando não fico nervosa com a possibilidade de objetos serem quebrados".

Apresente alternativas: "Se conseguir manter as mãos quietas, podemos ficar e olhar mais tempo para todas essas coisas".

Pornografia e irresponsabilidade sexual

Por que

Todas as crianças são curiosas em relação à sexualidade e vão acabar satisfazendo essa curiosidade se os próprios pais não o fizerem antes.

Conseqüências lógicas

Definir e impor regras claras sobre o que você considera formas apropriadas para eles tomarem conhecimento da sexualidade. Se você encontrar revistas pornográficas, confisque-as e pare de dar mesada até se sentir confiante de que o dinheiro não vai ser gasto com coisas dessa natureza.

Se os seus filhos ligam para aqueles infames números de telefone com prefixo 0900 que são apenas para "públicos adultos", faça-os se virarem para pagar a conta e tire as extensões de telefone do quarto deles.

Se descobrir que seus filhos estão visitando *sites* de pornografia na Internet, tire seus privilégios de uso do computador durante um mês. O mesmo se aplica àquelas vezes em que você os surpreender se comunicando com estranhos pela Internet. Os serviços de "amizade virtual" que lhes permite bater papo com os amigos diretamente são opções muito mais seguras.

Soluções em termos de auto-orientação

Discuta abertamente com seus filhos as perguntas que lhe fizerem sobre sexualidade. Caso sinta muito constrangimento, acredite em mim, alguém vai fazer o seu papel.

Não espere até seus filhos lhe fazerem perguntas sobre sexo. Quando você achar que já estão preparados para compreender esses conceitos, explique-os de forma apropriada para a idade. Você pode lhes comprar livros para ajudar a cobrir uma parte do tema, mas essa leitura não deve substituir por completo o seu papel de professor(a) nessas questões.

Nunca faça seus filhos acharem que deviam sentir vergonha de sua própria curiosidade sexual repreendendo-os, envergonhando-os, ridicularizando-os ou punindo-os por explorações sexuais (tanto em atos quanto em palavras ou perguntas) que sejam normais e saudáveis para sua idade.

Use as palavras certas para as partes do corpo. Usar palavras como "pinto", "pau" ou "culhões" mostra a seus filhos que você acha os aspectos sexuais do corpo vergonhosos, repugnantes ou embaraçosos.

Faça perguntas: "Tenho notado que, hoje em dia, o sexo diz mais respeito a imagem e poder que a amor. Você acha isso certo? Às vezes você se sente pressionado por amigos e conhecidos quanto ao sexo?", "Você acha que tem todas as respostas de que precisa em relação a esse assunto?", "Quais são as consequências de fazer sexo antes de você estar preparado(a)?", "Você conhece alguém na escola que cometeu erros em relação a sexo? Que consequências essa pessoa teve por causa disso?".

Faça descrições imparciais: "Você parece estar muito interessada nos meninos agora. Vamos contar uma para a outra o que sabemos sobre sexo. Talvez eu possa resolver algumas dúvidas".

Possessividade

Por que

As crianças têm dificuldade de dividir as coisas porque têm medo de perder o controle sobre elas para outra pessoa. Algumas acham que sua propriedade privada é a única coisa em sua vida sobre a qual têm poder.

Conseqüências lógicas

Não force, mas incentive o mais que puder seus filhos a dividirem suas coisas. Toda e qualquer medida disciplinar deve ter como objetivo resolver os conflitos criados quando eles optam por não dividir, como bate-bocas, gritos e tapas.

Se seus filhos não dividem suas coisas com os irmãos, nem com os amigos, vão sofrer as conseqüências naturais, como perder a amizade ou não ter com quem brincar.

Soluções em termos de auto-orientação

Nunca espere que seus filhos com menos de três anos de idade compartilhem nada. Nessa idade, eles não têm idéia do que sejam os sentimentos dos outros. Depois dos três anos, ensine seus filhos a pedir respeitosamente a outra criança para lhes emprestar um brinquedo e a cuidar muito bem dele enquanto estiver sob sua posse.

Mostre a seus filhos as vantagens de partilhar as coisas. Digo aos meus que, se nunca emprestarem um brinquedo, eles têm só o brinquedo, ao passo que, se emprestarem o brinquedo, têm o brinquedo e um amigo.

Se os seus filhos brigarem um com o outro por causa da posse de um objeto, não tome partido. Não interfira em nada ou, se o nível de barulho incomodar você, tire o objeto dos dois até as coisas se resolverem.

Apresente alternativas: "Johnny quer brincar com um de seus caminhões. Você quer deixá-lo brincar com o caminhão de transporte de areia ou com o caminhão com a draga?".

Faça descrições imparciais: "Estou vendo que você emprestou seu brinquedo favorito para o Timmy. Sei que deve ter sido difícil. Olha só como o Timmy está feliz".

Preguiça

Por que

As crianças ficam preguiçosas porque querem nos envolver numa luta de poder, por quererem atenção, por quererem evitar alguma coisa ou porque estão acostumadas a que alguém faça tudo por elas.

Conseqüências lógicas

Deixe seus filhos sentirem as conseqüências lógicas da preguiça. Se não lavarem a sua roupa, vão ficar usando roupas sujas e fedorentas, com as quais não vão ter permissão de sair de casa. Se não arrumarem o quarto, vão ter dificuldade para encontrar suas coisas.

Quando seus filhos reclamam de ter que ajudar em tarefas cooperativas, como tirar os pratos da mesa, obrigue-os a fazer a tarefa toda sozinhos.

Soluções em termos de auto-orientação

Dê a seus filhos um monte de responsabilidades apropriadas para a sua idade desde cedo. Não faça uma tarefa que seus filhos têm preguiça de fazer. Obrigue-os a terminá-la antes de terem permissão de fazer qualquer outra coisa. Mostre-lhes como transformar até os trabalhos mais tediosos em diversão.

Informe-os de que a família precisa genuinamente de sua contribuição para os serviços domésticos. "Preciso que você ponha a mesa para podermos comer. Estou muito ocupada fazendo o molho e preciso realmente que você me ajude." Depois diga-lhes o quanto aprecia sua ajuda.

Dê informações: "Trabalhar duro pode fazer uma pessoa se sentir satisfeita e orgulhosa", "Não contribuir para as responsabilidades diárias das obrigações familiares pode levar as pessoas a se sentirem improdutivas e os outros à sua volta podem ficar ressentidos".

Faça observações quando eles fizerem alguma coisa que não queriam fazer: "Olha só, você cortou a grama tão bem! Não faltou nem um lugarzinho!".

Problemas na hora das refeições

Por que

Muitas crianças usam a hora das refeições como seu principal campo de batalha nas lutas de poder. Muitas vezes é difícil para elas se comportarem direito quando são obrigadas a ficar sentadas durante uma hora e confraternizar com os inimigos (os irmãos e irmãs) ou não poderem fazer palhaçadas com seus companheiros (os irmãos e irmãs).

Conseqüências lógicas

Se os seus filhos costumam se atrasar para o jantar, deixe-os ficar sem comer. Se esse hábito estiver profundamente arraigado, deixe-os perder suas refeições prediletas.

Se os seus filhos brincarem com a comida, tire-lhes o prato e diga: "Comida é para comer, não é para brincar. Quando você estiver pronto para comer, pode ter seu prato de volta".

Quando seus filhos são bagunceiros ou briguentos à mesa, você pode removê-los para outro ambiente para comer e dizer-lhes que podem voltar quando estiverem em condições de se comportar direito, ou então você pode pegar seu prato e ir comer em outro lugar. Ambas as atitudes são eficientes, porque as crianças não gostam quando o bando se dispersa.

Soluções em termos de auto-orientação

Apresente alternativas: "Se você não se comportar direito à mesa, vai ter de comer no seu quarto".

Faça descrições imparciais e dê informações: "Brigas e discussões não são permitidas enquanto comemos", "Você está falando muito alto e ainda nem tocou no prato", "O jantar termina em dez minutos" (quando eles nunca acabam de cortar o bife e estão famintos, vão se endireitar e comer rapidamente, principalmente quando já viram o prato cheio ser tirado de sua frente antes).

Use o humor: deixe silenciosamente a mesa com seu prato e coma em outro lugar, ou volte para a mesa usando fones de ouvido. Você também pode tentar se sentar à mesa com algo barulhento – seu velho saxofone, alguns tambores, panelas e frigideiras para bater. Eles vão entender a mensagem quando taparem os ouvidos.

Faça perguntas: "Você acha agradável ver as pessoas brincarem com seu macarrão?", "Quais são as regras sobre falar alto ou ficar brigando à mesa?".

Nunca se deixe envolver nas lutas de poder entre seus filhos. As crianças que aprendem a manipular os outros aprendem a manipular a si mesmas (a enganar a si mesmas).

Problemas para deixar as fraldas

Por que

Pode acreditar, seus filhos não vão interromper um jogo de futebol para ir para casa trocar as fraldas. As crianças aprendem a usar o banheiro em momentos diferentes porque elas não amadurecem todas com o mesmo ritmo, nem emocional, nem fisicamente.

Conseqüências lógicas

A única conseqüência que seus filhos devem sofrer é o fato de terem algo quente, úmido ou fedorento na fralda. Algumas crianças não suportam isso, e outras não ligam a mínima.

Soluções em termos de auto-orientação

Nunca ridicularize, nem ameace, repreenda, castigue ou faça seus filhos passarem vergonha por seus acidentes na fase em que estão aprendendo a usar o peniquinho. Ralhar com eles só cria uma luta de poder implacável e orientada por fatores externos que faz a Guerra da Coréia parecer briga de namorados. E nunca recompense nem suborne seus filhos pelo sucesso de seu aprendizado de uso do banheiro.

Dê a seus filhos um amor incondicional independentemente de sua situação relativa ao uso do banheiro.

Se já tiverem idade suficiente, pergunte-lhes como se sentem a respeito de seu progresso no uso do banheiro. Esperamos que não tenham idade suficiente para você lhes pedir que preparem uma dissertação sobre esse tópico.

Não compare os irmãos quanto ao aprendizado do uso do banheiro.

Se os seus filhos estão empesteando a área com suas fraldas sujas e recusam-se a trocá-las, apresente alternativas: "Você pode me deixar trocar você ou ir lá para fora até estar pronto para usar uma fralda limpa".

Faça observações quando eles fizerem progressos: "Bem, você fez xixi no peniquinho dessa vez! Aposto que está satisfeito por estar com a fralda seca, e não molhada!".

Provocações, empurrões e cotoveladas

Por que

Quando as crianças não podem ser abertamente agressivas com seus irmãos e amigos, são agressivas às escondidas. O objetivo supremo é fazer a outra criança gritar ou chorar tanto que *a vítima* se meta em apuros, e não o agressor. As crianças provocam umas às outras porque têm auto-estima baixa, porque não recebem atenção suficiente ou porque não têm a sensação de pertencer a um grupo.

Conseqüências lógicas

Preste atenção às interações de seus filhos com outras crianças. Se possível, deixe-os sofrer as conseqüências naturais que certamente virão, como esse amigo afastar-se ou gritar com eles, seu comportamento ser repetido pelos outros, os pais da outra criança lhe passarem uma descompostura, e assim por diante.

Se provocarem crianças pequenas demais para fazê-las sofrer esses tipos de conseqüências, separe-os delas. Se não sabem se comportar bem com os outros, vão ter de brincar sozinhos.

Soluções em termos de auto-orientação

Faça observações quando eles se abstiverem de provocar os outros em circunstâncias em que normalmente o fariam. "Henry, você manteve a calma quando seu irmão abriu seus presentes de aniversário. Sei que às vezes é difícil se controlar numa situação dessas. Agora ele está querendo brincar com você e os dois estão se divertindo à beça!"

Dê informações: "Provocar as pessoas faz com que elas não queiram saber de você", "Em nossa família, tratamos os outros como queremos ser tratados".

Faça perguntas: "Quais são as regras em relação a empurrar e dar cotoveladas nos outros?", "Como você acha que sua irmã se sente? Acha que ela vai querer brincar com você agora?", "Como é que *você* se sente depois de tratá-la daquele jeito? O que você precisa fazer para que ela se sinta melhor?".

Apresente alternativas: "Você quer brincar numa boa com o Bradley ou subir para o quarto e brincar sozinho?".

Quebra de promessas

Por que

As crianças fazem promessas que não pretendem cumprir para subornar e manipular os outros a fim de conseguir o que elas querem. Algumas simplesmente mudam de idéia. Outras... bem, talvez sejam políticos se aperfeiçoando.

Conseqüências lógicas

É tarefa sua ajudar seus filhos a manter a integridade, e esse desenvolvimento do caráter significa certificar-se de que eles cumpram suas promessas. Muitos combinados serão desfeitos sem que você o saiba, mas não se preocupe, aqueles que seus filhos decepcionarem vão se vingar. O mundo lá fora é brutal nesse sentido. Os amigos vão se afastar deles, eles vão ter dificuldade para conquistar a confiança de outros e aqueles que traírem não vão se arrepender muito se comprometerem a própria integridade nas suas relações. A realidade é dura.

Soluções em termos de auto-orientação

Caso situações-limite façam você quebrar uma promessa ou compromisso assumido com seus filhos, peça desculpas e explique o motivo com detalhes. Diga-lhes que cumprir as promessas é importante para você e que você também está decepcionado(a) por não poder cumprir sua palavra.

Ensine seus filhos a conseguirem o que querem (ou pelo menos *tentarem*) sem recorrer a táticas de manipulação como a quebra de promessas.

Faça do cumprimento das promessas uma parte da identidade de sua família com frases como: "Em nossa família, cumprimos a palavra dada".

Faça perguntas: "Por que você achou necessário não cumprir a promessa que fez?", "Como você acha que Taylor se sentiu em relação a você? Acha que ele vai confiar em você no futuro?".

Faça descrições imparciais: "Pensei que você tivesse dado seu ioiô para sua irmã. Ela ficou muito triste quando você o pegou de volta".

Faça comentários quando eles *cumprirem* suas promessas. "Estou vendo que você cumpriu a promessa que fez de ajudar o Jimmy com os exercícios de Matemática depois das aulas. Sei que não é fácil, pois você tem treino de futebol depois. Jimmy deve achar incrível ter um amigo como você, com quem pode contar."

Queixas e reclamações

Por que

As crianças queixam-se para manipular, para chamar a atenção e para nos fazer perder as estribeiras. Algumas se queixam porque se sentem exageradamente controladas e acham que não têm voz ativa em questões importantes para elas. Outras se queixam porque funciona: conseguem o que querem todas as vezes.

Conseqüências lógicas

Quando seus filhos se queixam sem motivo, como: "Nunca consigo sair com meus amigos. Você é uma mãe horrível!", diga-lhes que é óbvio que eles não têm maturidade suficiente para apresentar seus problemas de forma construtiva e educada. Nesse caso, também são imaturos demais para sair sozinhos com os amigos.

Soluções em termos de auto-orientação

Você *não deve* ficar reclamando o tempo todo na frente de seus filhos, nem falar com eles de forma desrespeitosa. Senão eles vão internalizar o pressuposto de que essas são formas de comportamento aceitáveis.

Crie seus filhos para que entendam que nem tudo é como eles gostariam que fosse. Ensine seus filhos a descobrir alternativas para as queixas e reclamações parafraseando o que eles dizem:

Sally: "Ai que família chata! Detesto essa família!"
Mãe: "Mamãe, você poderia me ajudar a descobrir algumas formas de passar minhas horas de folga?"

Faça descrições imparciais e dê informações: "Ficar reclamando só irrita os outros. É a melhor forma de não conseguir o que você quer", "Não permitimos queixas e reclamações constantes na nossa família".

Apresente alternativas: "Quando você parar de reclamar, aí eu vou ter condições de escutar o que você tem a dizer".

Ensine seus filhos a se concentrarem na solução, não na queixa. Queixar-se costuma ser a forma de eles jogarem a culpa da situação em outra pessoa.

Use o humor: com sua voz mais solene, diga algo como: "Essa é uma declaração do Sistema Nacional de Queixas e Reclamações. A família Webb agora foi incluída na zona onde é proibido reclamar. Todos os transgressores serão julgados com todo o rigor da lei".

Procure fazer com que eles se comuniquem de uma forma mais cooperativa dirigindo-se a eles com observações como: "Notei que você anda reclamando muito. Se quiser que eu escute o que tem a dizer, precisa falar comigo de uma maneira mais construtiva e com uma atitude positiva".

Represente situações nas quais primeiro você e depois eles fazem o papel do queixoso.

Rebeldia

Por que

Os filhos rebelam-se contra nós e nos desafiam porque têm a cabeça deles (meu Deus, você não tem *horror* disso?). Querem testar seus limites e poder. Alguns nos desafiam com contra-ataques por estar sendo exageradamente controlados ou protegidos, para se vingar ou para evitar fazer algo desagradável. Alguns nos desafiam porque se sentem tratados injustamente. E alguns nos desafiam porque foram criados num ambiente permissivo e fazem o que muito bem entendem!

Conseqüências lógicas

Qualquer coisa que não seja conseqüência lógica vai tornar filhos rebeldes piores ainda, porque vêem o castigo como um sinal verde para reagir com *mais* rebeldia ainda.

Eis uma conseqüência lógica para uma criança desafiadora: se Billy se recusa a segurar sua mão quando vocês atravessam a rua, diga: "Não vou poder levar você à loja comigo agora porque você está optando pela insegurança. Talvez a gente possa tentar uma outra hora". Quando Jane se recusa a entrar no carro quando a família está indo comer uma pizza num restaurante, diga: "O.k., como você decidiu não vir conosco, vou levá-la até a casa da srta. Harris, a nossa vizinha. Ela pode ficar com você até voltarmos". Lembre-se de usar sua mais convincente atitude de indiferença, para que seus filhos saibam que você não pretende assumir os problemas deles.

Soluções em termos de auto-orientação

Escolha as batalhas em que vai entrar. Não diga "não" a todos os pedidos deles só para sentir que "está no comando". Dizer "não" a todo pedido vai simplesmente transformar você numa influência externa contra a qual seus filhos vão se sentir impelidos a se rebelar.

Não superproteja seus filhos. Isso também incita à rebelião externamente orientada entre os nativos.

Fale sempre respeitosamente com seus filhos e procure não dar a última palavra sempre. Repetindo: assim você está apenas se apresentando como uma influência externa... um saco de pancadas emocionais para os seus filhos.

Crie uma disciplina significativa. *Nunca* use castigos físicos. Promova a cooperação. Por exemplo: se os seus filhos se recusarem a fazer suas obrigações domésticas, peça-lhes para supervisionar os irmãos menores com as obrigações *deles* enquanto fazem as suas. Dê-lhes a sensação de que você realmente precisa de sua ajuda. Até a afirmação genérica "Estou num momento difícil e gostaria muito que você me ajudasse" funciona bem. Dá a eles uma sensação de poder. Quando as crianças se sentem úteis – que realmente têm com o que contribuir para o grupo familiar – tornam-se cooperativas.

Apresente alternativas a seus filhos rebeldes: "Você quer vir aqui agora e guardar a louça ou prefere fazer isso depois de tomar o café-da-manhã?". Essa atitude também lhes delega poder.

Faça descrições imparciais e dê informações: "Você está me tratando mal. Não me dá a menor vontade de continuar perto de você".

Procure não dizer às crianças o que fazer. Em lugar de dizer "Faça o seu dever de casa agora", diga algo como "O que você deve fazer agora que já terminou o seu lanche da tarde?".

Deixe que assumam a liderança sempre que possível: "Tommy, você poderia escolher onde vamos jantar hoje à noite?", "John, poderia ajudar seu irmão com esse problema difícil de Matemática?".

Rivalidade entre irmãos

Por que

As crianças brigam com os irmãos porque estão lutando para encontrar seu lugar especial dentro da família. Às vezes, é para chamar a sua atenção.

E, quando você se aproxima, é como um buraco negro. Nem a luz consegue escapar de suas garras.

Conseqüências lógicas

Deixe-os resolver os problemas sozinhos. Nunca tome partido, nunca vá em socorro do mais novo nem suponha que o mais velho é o responsável. Sua atenção pode ser exatamente aquilo que eles querem.

Quando seus filhos brigarem por causa do lugar onde vão se sentar, nenhum deles deve se sentar em lugar nenhum enquanto não pensarem numa solução razoável. Se brigarem por causa dos canais da televisão ou pelo tempo que cada um fica no computador, ninguém usa nenhum dos dois aparelhos enquanto não aparecerem com uma solução com a qual todos concordem.

Soluções em termos de auto-orientação

Reconheça os sentimentos de seus filhos. Se a sua filha disser: "Mamãe, eu tenho ódio do Erik! Ele é sempre ruim comigo!", diga algo como: "Sei que é muito chato quando ele te provoca. Eu também ficava louca da vida com meu irmão mais velho". Não ignore os sentimentos dela com observações como: Você não pode sentir essas coisas. Ele é seu irmão, pelo amor de Deus!". Essa resposta só cria confusão na cabeça deles sobre seus sentimentos conflitantes de amor e raiva.

Converse sobre as guerras entre irmãos das quais você participou quando criança e depois mostre a seus filhos como suas relações com seus irmãos são gratificantes agora. Se essas relações não forem tão íntimas quanto você gostaria, discuta quando e por que o caldo entornou, de que você se arrepende e o que poderia ter feito de outra forma quando estavam crescendo. Nossos filhos podem aprender com nossos erros.

Quando nasce um outro irmão, dê aos mais velhos formas de ajudar a cuidar do bebê que sejam apropriadas para a idade. Esse envolvimento os faz sentir-se úteis, em vez de ameaçados pelo recém-chegado.

Faça perguntas: "Estou vendo que você e sua irmã não estão se dando bem. Vocês estavam muito bem um com o outro ontem. O que aconteceu?", "Como é que você está se sentindo agora que brigou com seu irmão? E quando vocês são amigos?", "Como você acha que sua irmã está se sentindo agora? O que vai fazer a respeito?".

Faça descrições imparciais: "Estou vendo que vocês estão se dando muito bem. E parece que estão se divertindo muito mais brincando do que brigando. Olha só como os dois parecem felizes!", "Quando você briga com seu irmão, acho que se queixa por não ter com quem brincar".

Sexo antes da hora

Por que

Veja as seções sobre "Pornografia e irresponsabilidade sexual" e "Crescer rápido demais". A mensagem básica é: lubrifique a espingarda. (Estou brincando. O que quero dizer é: não permita!)

Soluções em termos de auto-orientação

Apresente alternativas: "Depois que terminar seu dever de casa, aí você e o Billy vão poder brincar lá fora", "Se terminar seu dever de casa até as 5 horas, vai ter tempo de assistir a seu programa favorito antes do jantar".

Faça perguntas: "Quais são as regras a respeito de terminar o dever de casa às 5 horas?", "Por que você está assistindo à televisão em vez de fazer seus deveres?", "O que você precisa fazer agora para estar de acordo com essas regras?".

Faça descrições imparciais e dê informações: "Estou vendo que são 4:30 e que você ainda não começou seu dever de casa. Ele tem de estar pronto antes do jantar". Quando eles fazem seus deveres sem criar problema, diga algo como: "Estou vendo que você já terminou seu dever de casa. Agora está com mais tempo para brincar antes do jantar!".

Use o humor: represente o papel de um torturador implacável, acenda uma luz bem forte sobre o rosto deles e diga algo como: "Temos como obrigar você a fazer seu dever de casa!".

Tédio

Por que

Hoje as crianças parecem esperar que todos os segundos de sua vida sejam preenchidos com as diversões mais estimulantes que existem. Afinal de contas, há inúmeras opções! Junte a essas inúmeras opções o fato de que a maioria dos pais e mães pensam que sua principal tarefa é tornar os filhos felizes, que o resultado é a luta infindável para poupá-los daqueles momentos inevitáveis de tédio.

Conseqüências lógicas

Faça com que seus filhos aproveitem ao máximo seus momentos de sossego ou saibam preenchê-los com *suas próprias* idéias de diversão. Nunca procure poupar-lhes momentos de frustração resolvendo para eles seus problemas de tédio. Isso não é tarefa sua. Mas ensinar a eles a lidar com a frustração é.

Soluções em termos de auto-orientação

Quando seus filhos chegam para você e se queixam: "Estou entediado. Não há nada para fazer", faça perguntas como: "O que vai fazer para resolver esse problema?". Melhor ainda, diga-lhes que é bom ficar "entediado" de vez em quando, porque lhes dá tempo para pensar, refletir e exercitar aquele órgão enferrujado que existe entre as duas orelhas. Podem considerar esse tempo uma hora de ginástica mental com sua voz interior.

Tente transmitir empatia: "Sei como você se sente. Eu também me sentia entediado(a) de vez em quando". (Daria *qualquer coisa* para me lembrar como era *essa* sensação!)

Compre somente brinquedos que estimulem a criatividade e exijam participação ativa, não aqueles que entretêm passivamente as crianças, deixando-as em estados de sonambulismo. E também limite a exposição de seus filhos a outras formas passivas de entretenimento, como jogos de computador e *videogames*, e televisão. Os brinquedos devem ajudá-los a desenvolver o diálogo interno, e não a reagir a fatores externos.

Timidez

Por que

Algumas crianças são tímidas porque é seu temperamento. Algumas são tímidas porque são hipercontroladas ou superprotegidas pelos pais. A outras não são ensinadas as formas básicas de lidar com o estresse ou com a derrota. Outras ainda não são criadas para ser independentes e autoconfiantes.

Conseqüências lógicas

Não há nenhuma conseqüência lógica eficiente que não saia pela culatra e não faça suas violetas retraídas se recolherem ainda mais.

Soluções em termos de auto-orientação

Nunca obrigue seus filhos a estabelecer relações sociais. Nunca os force a sair de trás de você e falar, por exemplo. Isso os faz aprender a reagir impensadamente aos outros por medo. Mas não os deixe usar a timidez como pretexto para fugir dos problemas.

Aceite as diferenças de personalidade e faça seus filhos entenderem que você considera essas diferenças como parte de sua singularidade. Não fale em nome de seus filhos.

Dê a seus filhos responsabilidades próprias compatíveis com a idade, para aumentar seu senso de competência. Ensine a seus filhos como se recuperar de uma derrota. Eles precisam de experiência e de aprender a enfrentar o fracasso para se sentirem competentes.

Incentive as amizades que têm a química certa. Procure não promover amizade com crianças agressivas, manipuladoras ou mandonas. Represente com eles várias interações entre amigos da mesma idade que eles podem achar desconfortáveis.

Encoraje, mas não force, seus filhos a ter novas experiências. Exponha-os a seu mundo tanto quanto puder.

Ajude seus filhos a encontrar seus papéis no grupo familiar. Apresente-lhes formas de contribuir.

Trancar-se no quarto

Por que

Certo, alguns pais de adolescentes acham que esse recolhimento é mais um prêmio do que um problema, mas é bem natural e previsível. Por quê? A maioria dos adolescentes tem muitas incertezas sobre as mudanças de seu corpo e as responsabilidades cada vez maiores em sua vida. Essa incerteza lhes dá a impressão de que têm menos controle, de modo que procuram refúgio em ambientes familiares que são só seus. Algumas crianças se sentem hipercontroladas, pouco valorizadas e negligenciadas por nós. Muitas crianças dessa idade fizeram (glup!) coisas que sabem que desaprovamos e escondem-se em seu quarto porque têm medo de que a expressão facial, a linguagem corporal ou a tristeza as denuncie. Em raras ocasiões, nossos filhos viram eremitas porque estão deprimidos ou por estarem com algum distúrbio anti-social.

Conseqüências lógicas
Bem, às vezes eles vão perder uma coisa bem legal.

Soluções em termos de auto-orientação

Esteja aberto para eles se comunicarem francamente, sem medo do ridículo ou de juízos de valor. Nunca refute, critique ou rejeite a opinião deles. Na verdade, deve incentivá-los a definir suas próprias idéias.

Um dos melhores momentos para conversar com seus adolescentes é na hora de dormir. Adoro me sentar na beira de sua cama, passar a mão no seu cabelo e ouvir suas preocupações e alegrias. Esse companheirismo faz com que eles fiquem sabendo que gostamos de sua companhia.

Passe bastante tempo com cada um deles em separado. Procure fazer coisas que *eles* gostem de fazer. Por exemplo: leve os meninos para a loja de ferragens para eles verem os tratores mais novos. Você não vai ter condições de arrastá-los para uma loja de *lingerie*. Não se quiser continuar viva.

Reconheça e aceite suas imperfeições e mostre a seus filhos que aceita as deles. Se você for perfeito(a), peça de volta o dinheiro gasto com este livro e marque uma entrevista com Martha Stewart.

Dê a entender a seus filhos que você espera que eles cometam erros e que vai continuar a amá-los assim mesmo. Discuta alguns dos erros que você cometeu quando tinha a idade deles.

Respeite a privacidade deles. Não entre no quarto deles sem pedir permissão e não os obrigue a dizer como é que passaram o dia. Deixe-os resmungar (será que existe algum curso de resmunguês no departamento de línguas estrangeiras?).

Procure usar o humor: faça um caminho de confetes de chocolate entre a porta do quarto deles e a mesa do jantar.

Quando tiver a sorte de passar algum tempo com seus adolescentes, diga-lhes como se sente com observações como: "Gosto muito de sua companhia".

Faça descrições imparciais e dê informações: "Você passou o dia todo no quarto. Tudo bem, mas esperamos vê-lo à mesa do jantar às 6 da tarde", "Sei que você dá valor a seus momentos de solidão, e não vejo o menor problema nisso, desde que suas responsabilidades aqui em casa sejam cumpridas", "É raro encontrar alguém que gosta da própria companhia".

Transgressão de regras de segurança

Por que

Algumas regras são inegociáveis independentemente das circunstâncias. Entre elas estão a maioria das regras relativas à segurança. Sair andando para longe de nós num lugar público, sair correndo para a rua ou para o estacionamento, brincar com fósforos e, sim, aquele clássico eterno enfiar uma faca na torradeira são apenas algumas delas. Algumas crianças transgridem essas regras por esquecimento, porque não compreendem o raciocínio por trás delas ou simplesmente por quererem nos pregar uma peça!

Conseqüências lógicas

Quando os seus filhos transgredirem uma regra de segurança fora de casa, leve-os para casa imediatamente. Diga algo como: "Tenho medo de que você se machuque por causa das escolhas erradas que está fazendo. Vamos tentar outra vez quando eu achar que você vai agir com segurança."

Se os seus filhos brincarem com fósforos, tire-os das mãos deles. Se forem curiosos demais, ponha-os dentro de uma banheira cheia d'água e deixe-os acender os fósforos debaixo de seus olhos vigilantes até eles enjoarem e se cansarem da brincadeira.

Soluções em termos de auto-orientação

Faça uma lista de regras de segurança que você quer que seus filhos sigam. Explique cada uma delas com a lógica envolvida. Faça perguntas: "Qual é a nossa regra em relação a brincar com bombinhas?", "O que você precisa fazer agora para ter mais segurança?".

Apresente alternativas: "Quando você souber lidar melhor com sua faca de escoteiro, aí eu a devolvo a você", "Quando você puser o cinto de segurança, eu ligo o carro".

Experimente a técnica minimalista: "Erik... capacete da bicicleta".

Não use táticas que provoquem medo nas crianças. Ler as notícias lúgubres da primeira página do jornal sobre seqüestro de crianças só vai fazer suas crianças ficarem com um medo exagerado dos vizinhos. Esse tipo de medo vai fazê-las reagir cegamente às ameaças externas, imaginárias ou reais. Por exemplo: diga coisas como "Abandonar a mamãe no supermercado não é seguro", em vez de aterrorizá-las com os detalhes do que poderia acontecer. Pelos mesmos motivos, não faça com que elas tenham medo dos outros dizendo-lhes para não conversar com desconhecidos. Seja como for, às vezes são pessoas que elas conhecem que podem representar perigo. Digo a meus filhos para não ir a lugar nenhum com ninguém a menos que tenham minha permissão expressa, mesmo que só estejam indo até a pracinha com o tio Larry.

Vaidade

Por que

As crianças ficam obcecadas com sua aparência externa quando acreditam que ela é crucial para serem aceitas pelos outros e por si mesmas. Infelizmente, a sociedade envia-lhes mensagens dizendo que seu visual é mais importante do que o tipo de ser humano que são.

Conseqüências lógicas

As crianças vaidosas em geral são mantidas a distância por seus amigos. O melhor é esperar que elas entendam a mensagem.

Soluções em termos de auto-orientação

Reduza a ênfase da importância da aparência. Em vez de dizer a seus filhos que estão lindos, destaque um dos pontos fortes de seu caráter. Não lhes compre roupas da última moda, maquiagem exagerada nem outras coisas que incentivam a vaidade.

Procure não fazer comentários, nem positivos nem negativos, sobre a aparência das pessoas na televisão, nos filmes, em público, etc.

Faça perguntas: "Por que há tanta pressão para parecer perfeito hoje em dia? Você acha que isso é bom ou ruim?", "Como se sente em relação àqueles exageradamente preocupados com a aparência?".

Faça descrições imparciais e dê informações: "Você parece tão preocupada com o seu cabelo agora. A maioria de suas amigas está mais preocupada com a aparência delas do que com a sua. O que lhes desperta mais interesse nos outros são coisas como compaixão, integridade, lealdade, etc.".

Vício em telefone, televisão, jogos eletrônicos e computador

Por que

As crianças têm tantas oportunidades de usar a luz elétrica que deixariam Benjamin Franklin, Thomas Edison e aqueles outros magos da eletricidade muito orgulhosos. Elas adoram dar umas férias para os pensamentos enquanto se envolvem em diversões eletrônicas. Afinal de contas, a diversão passiva não exige raciocínio, é hipnótica e relaxante. Elas não têm de enfrentar as exigências ou expectativas de ninguém e são transportadas para fora das críticas e julgamentos implacáveis do mundo externo.

Quanto ao telefone, acredito firmemente que há necessidade de um novo tipo de especialidade médica, a "cirurgia telefonológica", porque a maioria dos adolescentes precisa de uma cirurgia de emergência para retirar o gancho do telefone que se fundiu à sua orelha. Numa certa idade, os amigos são o centro de seu mundinho e os fios do telefone são os cordões umbilicais que os ligam uns aos outros.

Conseqüências lógicas

Quando seus filhos não seguem as regras que você estabeleceu para o uso de qualquer um desses aparelhos, tire o privilégio de usá-los.

Quando seus filhos ficarem irritados por causa do horário reduzido que têm para suas relações eletrônicas, tire seus privilégios de uso durante uma semana. O mesmo se aplica quando não atendem seus pedidos quando estão usando o telefone, o computador, etc.

Soluções em termos de auto-orientação

Estabeleça regras claras e razoáveis sobre quando e por quanto tempo seus filhos podem assistir à televisão, usar o telefone, brincar com jogos eletrônicos e usar o computador.

Ensine seus filhos a se divertirem sem máquinas. Ajude-os a fazer uma lista de opções e pregue-a na porta da geladeira.

Faça perguntas: "Quais são as regras sobre o uso do telefone? Por que você acha que essas regras são tão importantes? O que você precisa fazer agora?".

Apresente alternativas: "Você pode tentar ater-se a seus limites com o Nintendo por conta própria, ou o aparelho fica no meu quarto e você tem de bater o ponto na hora de começar a brincar e na hora de parar".

Faça descrições imparciais e dê informações: "Você já está brincando com seus *videogames* há mais tempo do que devia e seu dever de casa ainda não está pronto. A hora de ir para a cama é 9:30, aconteça o que acontecer", "Brincar lá fora faz bem ao corpo e à mente".

Quando seus filhos criarem *realmente* formas de brincar que não envolvam a eletrônica, faça observações: "Estou vendo que você está fazendo coisas de papel machê! Parece divertido. Como você é criativo!".

Xingamentos e outros usos impróprios da linguagem

Por que

Algumas crianças costumam xingar porque ouviram outros fazerem isso ou porque querem parecer duronas e adultas. Algumas xingam para expressar raiva ou para pedir ajuda.

Conseqüências lógicas

Se os seus filhos começarem a xingar e dizer palavrões, peça-lhes para sair da sala e só voltar quando souberem conversar educadamente. Se os seus filhos são pequenos e não compreendem o significado das palavras, explique-lhes. "Não falamos esse tipo de palavras em nossa família."

É preciso fazer com que seus filhos se desculpem com a pessoa que foi exposta à sua boca suja.

Soluções em termos de auto-orientação

Quando seus filhos disserem palavrões e xingarem, nunca mostre surpresa. Essa pode ser exatamente a reação externa que eles estão querendo. Se você deixar escapar um palavrão, peça-lhes desculpas.

Apresente alternativas: "Quando você voltar a usar uma linguagem apropriada, aí vai poder brincar com seus amigos".

Faça descrições imparciais e dê informações: "Notei que você está falando mais palavrões depois que fez amizade com Richard", "Xingar é uma forma desrespeitosa de tratar os outros".

Reconheça os sentimentos de seus filhos, se a raiva ou a frustração os levar a xingar: "Sei que você deve estar com muita raiva porque seu time perdeu o jogo, mas eu gostaria que você expressasse seus sentimentos sem usar linguagem chula". Ajude seus filhos a encontrar palavras alternativas.

Represente esse tipo de situação sempre que eles viverem alguma coisa que os leve a xingar.

Pergunte a seus filhos se eles compreendem o significado por trás da linguagem chula. Discuta como determinadas palavras podem afetar os outros, principalmente as palavras com conotações sexuais ou raciais. Eles precisam dessa informação para formular um diálogo interno mais eficiente ao tomar decisões relativas à linguagem.

Xixi na cama

Por que

A maioria dos especialistas considera o xixi na cama um indício de um sistema neurológico imaturo ou talvez um tipo de distúrbio do sono. Mas pesquisas médicas mais recentes descobriram que muitas crianças que fazem xixi na cama podem ter, durante o sono, uma deficiência de um hormônio importante conhecido como hormônio antidiurético, ou ADH (*Anti-Diuretic Hormone*). O ADH ajuda a concentrar a urina durante as horas de sono. Exames feitos com muitas crianças que fazem xixi na cama mostraram que essas crianças não apresentam o aumento habitual de ADH durante o sono. Portanto, as crianças com enurese produzem mais urina durante as horas de sono do que sua bexiga consegue reter. Se não acordarem, a bexiga libera a urina e a criança molha a cama.

Se eles ficaram sequinhos a noite toda durante um longo período de tempo e então começam a fazer xixi na cama, você precisa consultar o médico, porque isso pode ser indício de um problema físico ou emocional.

Conseqüências lógicas

Dê a seus filhos a responsabilidade de retirar o lençol molhado da cama, de lavá-lo e substituí-lo por outro limpo. Talvez precisem de alguma ajuda para fazer isso, dependendo da idade, mas até crianças de quatro ou cinco anos conseguem dar conta da maior parte dessa tarefa.

Soluções em termos de auto-orientação

Repetindo: nunca ridicularize ou castigue seus filhos por molhar a cama. Eles simplesmente não podem evitar que a coisa aconteça, e você estaria apenas contribuindo para uma terapia de anos e anos se transformar o problema em uma questão vergonhosa. Além das conseqüências lógicas mencionadas acima, não há soluções auto-orientadas para esse problema, que é principalmente uma questão física e de maturação. O diálogo interno é importante somente para eles lidarem com o fato de fazerem xixi na cama sem ficarem complexados, em vez de pararem completamente com o processo.

Sistema de níveis para adolescentes

Definição dos níveis

Nível 3:

Você tem todos os privilégios, como sair com seus amigos, ter pleno acesso a todos os objetos que lhe pertencem e uma extensão de telefone no quarto. A hora de dormir e o tempo ao telefone têm um aumento de 30 minutos. De vez em quando, pais felizes podem lhe dar alguns privilégios extras.

Nível 2:

Você perde o telefone (inclusive o celular) e os privilégios sociais de estar com seus amigos. Pode ouvir CDs, assistir à televisão, usar o computador, jogar *videogames*, brincar lá fora, tirar uma soneca, tomar banho, desenhar, etc. Essas atividades devem ser exercidas dentro dos limites de tempo combinados, sempre que aplicáveis.

Nível 1:

Todos os privilégios são suspensos. Você pode fazer pouco mais que o dever de casa, ler livros da escola ou jornais e andar pela casa. Isso significa que nada prazeroso pode ser feito, como andar de bicicleta, tirar uma soneca, comer sobremesa ou salgadinhos, tomar banho, brincar com objetos materiais, sair para passear, ter mais do que conversas breves com outros membros da família, etc.

Regras

• VOCÊ COMEÇA TODOS OS DIAS NO NÍVEL 3.
• Não há exceção a essa regra: se a infração ocorre às 8 da noite, o rebaixamento de nível começa na manhã seguinte.
• Qualquer das infrações da lista abaixo farão com que você seja rebaixado ao nível seguinte (do nível 3 para o nível 2 e deste para o nível 1).
• Nós decidimos se o rebaixamento deve ser posto em prática. Essa decisão não é sua.

Infrações

• Desrespeito, retrucar (dependendo da intensidade e da freqüência).
• Gritar, berrar (ataques de raiva verbais).
• Xingar (dependendo da intensidade e da freqüência).
• Brigas com os irmãos (dependendo da intensidade e da freqüência).
• Bater ou outras formas de retaliação física.
• Crueldade.
• Desonestidade.
• Abuso dos privilégios (telefone, hora de dormir, etc.).
• Não cumprir suas obrigações na escola ou em casa.

Nota da autora

Eu gostaria muitíssimo de saber a opinião de todos os meus leitores para poder aprender tanto com vocês quanto vocês comigo. Muito do que eu ficar sabendo vai dar forma à natureza e ao teor de futuros livros. Vocês podem entrar em contato comigo pelo *e-mail* medhus@earthlink.net

Meu *website* é http://www.drmedhus.com

Cadastro Para Mala-Direta

Nome

Endereço

Bairro **CEP** **Cidade**

Estado **Fone 1** ☐ Res. ☐ Com. ☐ Cel. **Fone 2** ☐ Res. ☐ Com. ☐ Cel.

Profissão **Data de Nascimento** **Sexo** ☐ Fem. ☐ Mas.

E-Mail

O que você achou deste livro?

Você tem alguma sugestão a dar?

Como conheceu a editora?
- ☐ Viu nas livrarias? Qual? _____
- ☐ Por amigos e parentes
- ☐ Revistas, jornais, televisão ou rádio? Qual? _____
- ☐ Professores. Qual o orgão de ensino? _____
- ☐ Propaganda. Qual? _____
- ☐ Outros _____

Selecione suas áreas de interesse:
- ☐ Benítez
- ☐ Cristina Cairo/Linguagem do corpo
- ☐ Esoterismo
- ☐ Psicologia e Johnson
- ☐ Religião
- ☐ Saúde/Ciência/Autoconhecimento
- ☐ Outros _____

Editora Mercuryo Ltda.
Bons livros, bons homens
Al. dos Guaramomis, 1267, Moema
São Paulo, SP, Brasil Cep 04076-012
Fone/Fax: (11) 5531.8222 / 5093.3265
atendimento@mercuryo.com.br
www.mercuryo.com.br

EDUC

Mande pelo correio ou cadastre-se pelo site da editora